D1056467

Vivre et lâcher prise

Catalogage avant publication de Bibliothèque et Archives Canada

Finley, Guy

Vivre et lâcher prise

Traduction de: Let go and live in the now.

1. Actualisation de soi. I. Titre

BF637.S4F5614 2005 158.1 C2005-940942-8

Pour en savoir davantage sur nos publications, visitez notre site: **www.edhomme.com**
Autres sites à visiter: www.edjour.com
www.edtypo.com • www.edvlb.com
www.edhexagone.com • www.edutilis.com

08-05

L'ouvrage original a été publié par
Red Wheel/Weiser, LLC
sous le titre *Let Go and Live in the Now*

Dépôt légal: 3e trimestre 2005
Bibliothèque nationale du Québec

ISBN 2-7619-2139-9

DISTRIBUTEURS EXCLUSIFS:

- Pour le Canada et les États-Unis:
  MESSAGERIES ADP*
  955, rue Amherst
  Montréal, Québec H2L 3K4
  Tél.: (514) 523-1182
  Télécopieur: (450) 674-6237
  * Filiale de Sogides ltée

- Pour la France et les autres pays:
  INTERFORUM
  Immeuble Paryseine, 3, Allée de la Seine
  94854 Ivry Cedex
  Tél.: 01 49 59 11 89/91
  Télécopieur: 01 49 59 11 96
  Commandes: Tél.: 02 38 32 71 00
  Télécopieur: 02 38 32 71 28

- Pour la Suisse:
  INTERFORUM SUISSE
  Case postale 69 - 1701 Fribourg - Suisse
  Tél.: (41-26) 460-80-60
  Télécopieur: (41-26) 460-80-68
  Internet: www.havas.ch
  Email: office@havas.ch
  DISTRIBUTION: OLF SA
  Z.I. 3, Corminbœuf
  Case postale 1061
  CH-1701 FRIBOURG
  Commandes: Tél.: (41-26) 467-53-33
  Télécopieur: (41-26) 467-54-66
  Email: commande@ofl.ch

- Pour la Belgique et le Luxembourg:
  INTERFORUM BENELUX
  Boulevard de l'Europe 117
  B-1301 Wavre
  Tél.: (010) 42-03-20
  Télécopieur: (010) 41-20-24
  http://www.vups.be
  Email: info@vups.be

Gouvernement du Québec – Programme de crédit d'impôt pour l'édition de livres – Gestion SODEC – www.sodec.gouv.qc.ca

L'Éditeur bénéficie du soutien de la Société de développement des entreprises culturelles du Québec pour son programme d'édition.

Nous reconnaissons l'aide financière du gouvernement du Canada par l'entremise du Programme d'aide au développement de l'industrie de l'édition (PADIÉ) pour nos activités d'édition.

Guy Finley

Vivre et lâcher prise

Traduit de l'américain
par Marie-Luce Constant

LES ÉDITIONS DE L'HOMME

À Patricia, mon épouse, mon cœur, mon amie,
la fée de ma vie, ma confidente et mon amour.
Merci d'avoir toujours été présente à mes côtés
pour m'aider à comprendre que nous avions
encore du chemin à parcourir.
Ce livre existe grâce à toi.

De quoi s'agit-il ?

Tout comme nous nous efforçons de jeter des passerelles entre pays et cultures, nous devrions aussi remonter le temps pour puiser aux sources de sagesse des âges révolus. C'est la raison d'être de cet ouvrage. Les révélations qu'il contient, parfois amènes, parfois brutales, sollicitent l'esprit de quiconque est en quête d'une vie spirituelle. Elles l'empliront d'une lumière nouvelle, qui servira de passerelle entre ce que nous sommes et ce que nous pourrions être.

Chacun des chapitres est bourré de principes universels, présentés dans un contexte actuel, sous une forme pratique. L'auteur suggère de nombreuses applications concrètes dans la vie de tous les jours. Mais ce livre est plus qu'un manuel d'instructions. Ses anecdotes vous intrigueront, ses idées vous stimuleront. Toutes, elles vous aideront à emprunter la voie de la guérison intérieure.

Cet ouvrage est l'exemple vivant de l'universalité intemporelle vers laquelle il conduit son lecteur. Son message est à la fois doux et frappant, urgent et reposant, sérieux et amusant. Il s'adresse à tous ceux qui souhaitent non seulement apprendre à se connaître, mais encore à participer consciemment à la grande transformation de notre univers vivant.

Introduction

Ouvrons-nous à notre mystère

Voici une vérité très simple, qui mérite pourtant une attention particulière : *une vie sans mystère n'est pas une vie véritable*. En effet, nous songeons rarement que ce qui enrichit notre vie et la rend digne d'être vécue, c'est justement le mystère. Il suffit de regarder en arrière, vers notre jeunesse.

Vous souvenez-vous de votre émerveillement d'enfant ? Avant que ce sentiment ne fût écarté ou annihilé par la vie en accéléré ? Ne brûliez-vous pas du désir de *comprendre ce qu'est la vie* ? Les mystères de la vie ne nous effrayaient pas ; au contraire, ils nous emplissaient d'espoir… au point que certains soirs nous avions du mal à nous endormir ; parfois nous passions la nuit à rêvasser à toutes les possibilités que la vie semblait nous offrir. Pourrions-nous revenir en arrière, nous souvenir d'une époque où notre cœur et notre esprit étaient grands ouverts ? Nous étions intrigués par le monde qui nous entourait, tout en prenant conscience d'une explosion intérieure de sentiments.

Souvenez-vous de la fascination que suscitaient en vous vos meilleurs amis, garçons et filles. Vous étiez si attiré par certains d'entre eux que vous souhaitiez passer chaque minute en leur compagnie. À cet âge, nous exprimons nos sentiments sans nous préoccuper de ce que notre entourage pourra en penser. Et naturellement, il y avait les autres, les gens avec qui nous n'avions rien en commun, au point que nous nous demandions quelle pouvait bien être la raison d'être de leur existence sur cette planète !

Qui peut oublier le sentiment à la fois envoûtant et déchirant suscité par nos sanglots, lors de notre premier gros chagrin ? La douleur (ou le plaisir !) de souhaiter la présence de quelqu'un ou de vouloir posséder à tout prix un objet, au point d'en perdre le souffle ? Tout était vital : à chaque instant un nouveau désir se présentait ; l'instant suivant, il s'évaporait. Et ainsi de suite... Rien de plus normal. Notre croissance était une suite d'énigmes de ce genre. Nos journées ressemblaient à des colliers de perles de différentes couleurs et grosseurs, tandis que les nouvelles réponses ne faisaient qu'appeler de nouvelles questions ! Toutefois, notre désir de résoudre ces énigmes n'était pas jadis aussi urgent que celui que nous éprouvons aujourd'hui. Car nous savions, en dépit de notre jeune âge, que *chaque mystère a pour raison d'être d'en remplacer un autre*. Nous étions tout naturellement capables de laisser aller ce dont nous n'avions plus besoin.

Cependant, comme nous finissions toujours par nous en rendre compte, ces premiers mystères n'étaient que des *signes précurseurs*. Chacun ne représentait qu'une petite pièce d'un gigantesque et vénérable casse-tête, dont la présence, bien que permanente, demeurait alors pour nous invisible, un peu comme le ciel était trop vaste pour que nous pussions le distinguer dans son immensité. Mais nous étions des enfants. Notre capacité de comprendre ces mystères était limitée par notre jeunesse. Aujourd'hui, il en va tout autrement.

Cet immense mystère, si vital pour nous, en périphérie duquel nous dansions durant notre jeune âge, demeure le sel de l'existence. Il imprègne toutes nos questions sur la vie. En son absence, les mystères secondaires qui nous habitent perdent tout leur sens. Pensez à une histoire dans laquelle il n'y aurait ni héros ni héroïne, mais seulement des personnages secondaires.

Qu'est donc ce mystère central, ce soleil secret autour duquel évoluent notre planète personnelle et notre entourage ? Ce mystère qui illumine leur raison d'exister ? C'est le mystère du Soi.

Le Soi… ce noyau imperceptible bien qu'omniprésent, depuis lequel nous observons la vie qui danse autour de nous, qui nous offre ce qu'elle veut, comme elle le veut… Ce lieu intime au plus profond de nous-mêmes, qui, chaque fois que l'orchestre se tait, projette en nous des questions silencieuses : « Qui suis-je ? Pourquoi et comment suis-je ici ? »

Tous, à des degrés divers et quelles qu'en soient les causes, nous avons entendu ces questions silencieuses, qui nous incitaient à rechercher la vérité de notre être, à comprendre pourquoi et comment nous sommes ce que nous sommes. Mais ces interrogations dissimulent un mystère. Après tout, pourquoi la vie nous encouragerait-elle à examiner la nature occulte de notre Soi ? Quel intérêt avons-nous à nous torturer pour découvrir la réponse à une question aussi embrumée ? Surtout lorsqu'il semble que tout ce dont nous avons besoin pour être heureux nous a déjà été offert dans le monde visible. Comme Sherlock Holmes l'aurait certainement fait remarquer à son fidèle compère, en observant ces indices : « Élémentaire, mon cher Watson ! Cette recherche de notre Soi invisible ne peut avoir qu'une seule cause : nous ne sommes pas satisfaits de ce que nous avons. »

En fin de compte, ce vide étrange en plein cœur de notre âge, ce malaise que nous ne savons expliquer, n'est-il pas le véritable mystère ? En effet, même si nous volons de succès en succès, même si nous nous hâtons de nouer une nouvelle relation pour effacer le goût amer que nous a laissé la précédente, rien ne semble être véritablement efficace. Dans le meilleur des cas, nous parvenons à écarter temporairement le malaise qui ne tarde pas à se manifester de nouveau, car nous n'avons pas le pouvoir de nous en débarrasser à jamais.

Cette insatisfaction imprègne les fibres de notre âme, un peu comme des notes lugubres dans un refrain que l'on voudrait joyeux. Par moments et à des degrés variables, nous ressentons tous cette tension déclenchée par la progression invisible des événements quotidiens. Tous, nous avons éprouvé ce sentiment de vide lorsque notre passion à l'égard de quelqu'un ou de quelque chose commence inéluctablement à faiblir, ou dans les moments trop silencieux qui suivent un exploit quelconque, lorsque notre regard se pose sur le paysage stérile d'un avenir que nous allons devoir recréer.

Durant ces moments indésirables, nous sommes si près de la forêt que nous ne voyons plus les arbres. Nous sommes littéralement aveuglés, soit parce que nous nous refusons de voir les ombres menaçantes du bonheur que nous avons laissé en arrière, soit parce que l'éclat éblouissant de notre dessein futur dissimule le passé qui s'effiloche sous nos yeux. Et c'est justement cette cécité qui nous empêche de voir le grand mystère, derrière ce que la vie s'efforce de nous montrer.

Si notre insatisfaction intérieure était de nature terrestre, il est probable que nous pourrions résoudre le problème en adoptant une solution terrestre. Mais ce n'est pas le cas, comme nous l'avons constaté à maintes reprises. Par conséquent, ne serions-nous pas prêts à comprendre que le mystère naît dans un monde et se poursuit dans un autre ?

L'insatisfaction de notre vie a sa source dans l'Invisible, le surnaturel. Aussi surprenant que cela semble, les faits sont clairs : ce grand mystère nous invite à rechercher une solution spirituelle à nos souffrances. Voyez-vous comment cette réalisation change tout à notre quête du Soi caché ? Nous avons besoin non seulement de réponses venues d'ailleurs, afin de comprendre la véritable nature de notre Soi, mais encore d'un nouvel éventail de questions qui nous aideront à y parvenir.

Un fait devrait être maintenant évident à nos yeux : une opération de dissimulation se déroule certainement en nous ! Après tout, qu'est-ce qui est plus près de nous que notre véritable nature ? Et pourtant, elle se dissimule à nos yeux. Cette certitude que quelque chose nous empêche de réaliser notre vérité intérieure nous incite alors à nous poser de nouvelles questions, dont nous distinguerons ensemble les réponses, au fur et à mesure que nous apprendrons à nous connaître nous-mêmes : *quelles sont les forces invisibles à l'œuvre en nous qui essaient de nous empêcher d'entrer en contact avec les recoins les plus secrets de notre cœur ? Que faire pour dévoiler le pouvoir, la promesse et la liberté qui nous attendent avec la découverte de notre Soi ?*

Dans ce livre, vous découvrirez plus que les réponses aux mystères de votre Soi réel. Vous rencontrerez aussi un Soi universel qui ne fuit devant rien parce que sa nature supérieure sait que l'éternité n'a rien à craindre du temps qui passe. Vous apprendrez à rejeter une gamme de pensées et de sentiments négatifs, à transformer un moment ténébreux en lueur d'espoir. Et, surtout, vous accepterez des vérités intemporelles. Vous rencontrerez des dizaines de principes éternels et lumineux, dont la compagnie rassurante vous guidera jusqu'à votre Soi véritable et secret.

Une dernière pensée avant d'entreprendre notre voyage : ouvrez votre cœur à tous les mystères que vous découvrirez en chemin. Comprenez que chacun d'eux est aussi une promesse, la promesse silencieuse de la vie. Elle nous assure que nous sommes au bord d'une compréhension plus approfondie de nous-mêmes. Nous sortirons grandis de notre découverte, car la vérité éternelle de tout mystère n'existe, en définitive, qu'au fond de nous-mêmes.

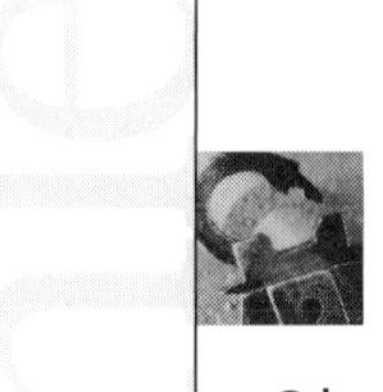

Chapitre premier

Soignez les blessures de votre cœur

Il y a tant de merveilleux mystères non seulement en ce monde, mais encore en chacun de nous ! Par exemple, saviez-vous que la distance qui sépare votre cœur de vos orteils est un multiple de la distance entre le soleil et la plus éloignée des planètes du système solaire ? Saviez-vous que le cœur de tous les êtres vivants – de la chauve-souris à la baleine – émettra approximativement le même nombre de battements durant leur vie ? Ce cœur que nous partageons tous reflète une promesse aussi insondable, aussi attirante, aussi puissante et parfaite, qu'il est possible de l'imaginer.

Au cours des âges, cependant, les sages nous ont fait part d'un mystère encore plus profond. Les grands prophètes nous enseignent depuis longtemps que ce cœur dissimulé en nous – au cœur de notre cœur, pour ainsi dire – n'est que le reflet tridimensionnel d'un cœur céleste invisible dont la vie anime secrètement le nôtre. Imaginez une goutte d'eau surgie de l'écume d'une vague, complète, dotée de toutes les propriétés de l'eau ; cette goutte est une version microcosmique de l'océan éternel d'où elle est née et ou elle retourne. Ainsi, vous aurez une idée de cette merveilleuse vision.

Si cette description du cœur vous semble majestueuse, infinie et magique dans son universalité, c'est que vous avez parfaitement saisi ! Et au fond de nous-mêmes, nous savons que c'est la vérité. Chaque fois que nous réalisons confusément que notre patrie gît parmi les étoiles infinies, que nous éprouvons la capacité et la vitalité de donner sans fin, c'est parce que nous avons senti les battements de ce cœur véritable, qui vit dans notre Soi caché. Et, aussi curieux que cela paraisse, c'est ce vaste potentiel qui rend le moment présent si insatisfaisant, emprisonné dans les possibilités que nous n'avons jamais concrétisées.

Les huit indices d'un cœur brisé

Kathy était une jeune femme intelligente, qui comprenait que quelque chose ne tournait pas rond dans sa vie. Mais elle était incapable de cerner l'origine de son insatisfaction. Après tout, le destin l'avait choyée, comme le lui répétaient ses amis. C'était bien ce qui rendait sa situation incompréhensible. Bien qu'elle menât une vie active, elle avait l'impression de n'avoir pas quitté la case départ. Elle ne parvenait pas à chasser le sentiment de déception qui imprégnait sa vie.

Démoralisée, soupçonnant que son problème avait peut-être une cause physique, elle alla consulter son médecin de famille, un homme déjà âgé qui l'avait soignée toute petite, ainsi que ses parents. Kathy faisait confiance à son jugement ; elle était certaine qu'il serait en mesure de l'aider. Elle prit donc un rendez-vous pour le lendemain.

Dès qu'elle fut entrée dans le cabinet du médecin, qui occupait un angle de sa modeste demeure, une vague de nostalgie la submergea. Peu de changements : le vieux bocal à bonbons était toujours posé sur une bibliothèque surannée, une série d'instruments médicaux démodés reposaient dans de petits plateaux de métal. Elle commença à regretter sa visite, mais il était trop tard pour reculer. Le médecin entrait et son sourire chaleureux sembla dissiper tous les problèmes. « Bonjour Kathy ! Je ne t'ai pas vue depuis bien longtemps ! Quel bon vent t'amène aujourd'hui ? »

Soudain, Kathy se sentit complètement stupide. Le médecin dut s'en rendre compte, car il tenta de la rassurer. « Allons, dis-moi tout. Je suis sûr que ce n'est pas si grave que cela ! » Sa simplicité démantela la gêne que Kathy éprouvait et, très vite, elle lui parla du poids dont elle ne parvenait pas à se libérer, de ce sentiment de détresse qui demeurait quoi qu'elle fît pour s'en débarrasser : « En vérité, je ne sais pas ce qui ne va pas. Je devrais au contraire être joyeuse. » Elle leva les yeux vers lui.

Le médecin avait un doux sourire, qui encouragea Kathy à poursuivre ses confidences. Au lieu de se sentir humiliée par ses propres paroles, elle alla jusqu'au bout de sa pensée : « Suis-je atteinte d'une maladie incurable ? »

Le médecin la dévisagea un moment et lui prit la main avant de répondre, sur un ton mi-sérieux, mi-léger : « Je vais te poser quelques questions très simples et, en fonction de tes réponses, je devrais pouvoir formuler un diagnostic. » Puis, sur un ton plus grave, il ajouta : « Kathy, il faut toutefois que tu sois entièrement franche avec moi. »

Cette prière eut sur Kathy l'effet d'une avalanche d'appréhension. Mais de quoi donc s'agissait-il, se demanda-t-elle, avant d'acquiescer sur un ton hésitant.

« Bien ! Maintenant ; allons-y, veux-tu ? » Puis sans attendre sa réaction, il lui posa une question qui la prit complètement par surprise : « Kathy, as-tu des regrets à propos de certaines choses qui te sont arrivées par le passé ? »

Elle hésita, bien qu'elle connût parfaitement la réponse. « Naturellement ! Qui n'en a pas ? » Mais sa curiosité s'était éveillée. Quel rapport cette question pouvait-elle bien avoir avec sa détresse personnelle ? Un instant plus tard, elle hocha la tête. « Parfait, reprit le médecin. Ce n'était pas douloureux pour commencer, n'est-ce pas ? Continuons. »

« As-tu tendance à rêver à un avenir meilleur ? » poursuivit-il.

Surprise par la pression qui semblait émaner de ces mots, elle répondit sur un ton sec à ce qu'elle jugeait être une question indiscrète : « Quel mal y a-t-il à cela ? » Mais il ne releva pas le ton de sa réaction et se contenta de prendre quelques notes. « Donc, reprit-il sans sourciller, j'imagine que ta réponse est affirmative. Très bien. Continuons. »

« As-tu du mal à te supporter lorsque tu es contrainte par certaines circonstances à rester seule ? »

Kathy baissa les yeux et son regard se perdit dans les motifs fanés de la moquette. Sans lever la tête, elle acquiesça. Il poursuivit : « Qu'en est-il de la colère ou du ressentiment ? Y a-t-il ou y a-t-il eu des gens, dans ta vie, qui suscitent en toi des sentiments désagréables lorsque tu penses à eux ? »

Kathy le regarda et constata qu'elle avait envie de se justifier. « N'est-ce pas naturel ? » Mais le médecin se contenta d'inscrire quelques mots dans son calepin. Puis il lui posa deux questions consécutives : « As-tu peur que les autres te blessent ? As-tu tendance à juger de manière cynique ou négative les aspirations des autres, surtout lorsqu'ils parlent de rechercher un amour qui ne trahira pas leur confiance ? »

Kathy commençait à se sentir très mal à l'aise. Ces questions éveillaient des vérités douloureuses. Elle répondit par une petite grimace, qui signifiait clairement : « C'est vrai. Mais comment faire autrement ? »

Le médecin dut sentir sa souffrance, car il tenta de la rassurer : « Encore quelques questions et ce sera tout. N'es-tu heureuse que lorsque tu es occupée à une tâche quelconque ? »

Kathy ne put résister à la tentation de répondre à la question par une autre question : « Allez-vous enfin me poser une question à laquelle je pourrai répondre par la négative ? » Tous deux rirent et l'atmosphère s'en trouva brusquement allégée. Enfin, il posa la dernière question : « T'arrive-t-il parfois d'éprouver et d'essayer de repousser un sentiment de déception à l'égard des gens qui t'entourent, notamment ceux qui te sont les plus chers ? »

Elle baissa de nouveau les yeux et admit qu'une fois de plus elle devait répondre par l'affirmative. Bien qu'elle ne comprît pas ce que ces confidences avaient à voir avec son incapacité d'être heureuse, elle sentit toutefois que, dans la petite pièce tranquille, quelque chose était en train de se produire. Elle tenta de dissimuler son espoir derrière l'ironie : « Et maintenant, docteur, votre diagnostic. Suis-je condamnée ? »

Bien que Kathy eût déjà trente-cinq ans, rien ne l'avait préparée à la réponse qu'elle allait recevoir et qui la frappa avec la brutalité d'un marteau sur un gong d'airain.

Le médecin prit une respiration et affirma, d'une voix douce mais sérieuse : « Kathy, tu as le cœur brisé. »

Une terreur soudaine s'empara d'elle. Depuis le centre de son corps, elle fusa dans deux directions à la fois. Mais avant qu'elle eût commencé à se répandre, le médecin intervint : « Kathy, physiquement, tu es en bonne santé. » Et pour la rassurer davantage, il se mit à rire tranquillement. « Ne crains rien, tu n'es pas victime d'une maladie mystérieuse. »

Kathy le regarda avec attention, en quête d'une explication. Une partie d'elle-même l'assurait que le médecin plaisantait, tandis que son intuition lui murmurait que ce n'était pas le cas. Elle venait d'entendre une vérité fondamentale. Et bien qu'elle ne comprît pas cet étrange diagnostic, son expérience de la vie étayait cette conclusion. Hésitante, Kathy rechercha un indice sur le visage de son interlocuteur. Puis elle entendit sa propre voix interroger : « Mais que voulez-vous dire ? Un "cœur brisé" ? »

« Je comprends ton étonnement. Moi aussi, j'ai réagi de cette manière lorsqu'on m'a dit la même chose il y a bien des années. Mais écoute-moi bien, Kathy... » Il fit une pause pour s'assurer qu'elle était prête à recevoir une stupéfiante révélation. « Tout le monde, sur cette planète, à l'exception d'un très petit nombre de gens, a le cœur brisé. » Il sourit pour la réconforter.

Elle l'implora de poursuivre : « Mais enfin, comment peut-il être brisé ? Qu'est-ce qui ne va pas ? Voulez-vous dire qu'il a besoin d'être soigné ou qu'il ne fonctionne pas bien ? Ou quoi d'autre encore ? » La réponse la prit au dépourvu.

« Y a-t-il une différence ? »

Il poursuivit : « Me demandes-tu si nos souffrances ont une origine physique ? La réponse est non. Notre cœur est brisé – il ne fonctionne pas bien – parce qu'il a été endommagé. » Kathy se sentit encore plus perdue par cette prétendue explication. Mais elle avait bien l'intention d'aller jusqu'au bout de la question.

« Comment mon cœur a-t-il pu être endommagé ? Pourriez-vous être plus précis ? »

Une fois de plus, il la prit par surprise. « Pour commencer, *notre cœur n'a pas été créé pour se remplir tout seul* ». Elle le considéra avec une perplexité croissante. Il approcha une chaise et s'assit à côté d'elle.

« Réfléchis un moment, car je pense que tu comprends ce que je veux dire. N'y a-t-il pas, en nous, quelque chose qui nous affirme toujours ce que nous devrions faire ou ce que nous devrions obtenir pour nous sentir bien dans notre peau ? »

Elle acquiesça après un instant de réflexion. Il poursuivit : « Voici maintenant la partie la plus étrange. Le jour où nous obtenons ce que nous désirons – une nouvelle relation, un nouvel emploi, le voyage de nos rêves, etc. –, nous sommes heureux comme des rois. Mais le lendemain ou quelque temps plus tard, quelque chose se produit et, comme tu le sais si bien, ce qui était une source de joie devient la cause de notre détresse. »

Kathy hocha de nouveau la tête, car elle se souvenait du déchirement d'une récente relation avec un homme qu'elle avait pris pour un Prince Charmant et qu'une dispute banale avait révélé sous les traits d'un crapaud venimeux. Pourtant, son acquiescement tacite ne l'empêcha pas de soulever une contradiction : « Mais qu'y a-t-il de mal à vouloir nouer une relation qui nous rend heureux ou à travailler pour nous offrir de jolies choses ? »

« Absolument aucun mal, Kathy, car ces désirs simples ne sont pas problématiques dans l'absolu. Notre cœur se brise non en raison de ce que nous désirons, mais parce que certains éléments inconscients de notre nature veulent nous faire croire que ces choses que nous désirons ou que nous parvenons à obtenir ont, en elles-mêmes, le pouvoir de nous satisfaire. » Il poursuivit d'une voix plus grave. « C'est cette conviction incontestée qui est à l'origine de notre détresse, car elle nous incite à nous attacher continuellement à des humains ou à des objets. »

« Certes, je comprends cela. Mais je ne saisis toujours pas le rapport avec le cœur brisé. »

« C'est parce qu'il est tellement évident que tu ne le vois pas. Comprends-tu que nous ne pouvons rien conserver ? Notre vie même ne nous appartient pas. Il ne faut pas se demander si elle changera... mais plutôt quand elle changera. Elle est en état d'évolution perpétuelle. Nous avons parfois l'impression d'une certaine stabilité, parce qu'en notre for intérieur nous avons besoin de cela pour éviter l'anxiété. C'est pourquoi notre cœur se sent constamment déchiré entre deux forces adverses. D'un côté, il y a le désir trop familier de nous accrocher à ce que nous avons, afin de vivre dans la satisfaction et d'écarter tout danger. De l'autre, c'est le mouvement perpétuel de la réalité, le fleuve de la vie qui se répand sur notre bonheur et transporte avec lui tous les changements indépendants de notre volonté. »

Tout en écoutant la voix du médecin, Kathy sentait ses paroles la pénétrer. Elle avait le sentiment de savoir déjà, confusément, ce qu'il était en train de lui expliquer. Mais que faire ? Elle se sentait totalement impuissante. Puis une pensée surgit, comme si toutes les pièces du casse-tête se mettaient soudain en place dans sa tête : « Par conséquent, avança-t-elle prudemment, si je comprends bien, comment pourrais-je guérir d'un mal dont, jusqu'à présent, j'ignorais la cause ? Que faire pour soigner mon cœur brisé ? »

Le médecin lui adressa un chaleureux sourire. Kathy l'avait écouté avec attention et il savait qu'elle était désormais prête à faire d'autres découvertes, qui la placeraient sur la voie de la guérison. Mais elle devait encore apprendre certaines choses et, bien qu'il sût que sa réaction serait négative, il lui répondit par ce qu'elle ne pouvait que considérer comme une lapalissade et qui ne l'était pas.

En la regardant droit dans les yeux, il dit :

« Nous soignons notre cœur en cessant de le blesser. »

Il laissa tranquillement passer l'inévitable réaction, puis sourit de nouveau. « Vois-tu, Kathy, lorsque nous cessons de nous faire mal, nous constatons que 99 p. 100 des choses que nous croyons nécessaires pour faire notre bonheur sont en réalité superflues. » Kathy comprit intuitivement qu'il avait raison. Et en dépit de l'exaspération qui commençait à la gagner, elle prit une grande respiration et reposa la question en termes légèrement différents :

« Dans ce cas, par où devrais-je commencer ? Que faire pour gagner ce combat pour la possession de mon propre cœur ? »

Le médecin répondit promptement : « Tu dois apprendre à te libérer. »

« Oh, génial ! Me libérer ? Mais de quoi ? Ce n'est sûrement pas si simple ! Et de toute façon, qui sait ce qui convient mieux à… » Son interlocuteur, qui avait commencé à hocher la tête, l'interrompit.

« Kathy, tu as eu une réaction identique à la mienne, le jour où quelqu'un d'autre m'a affirmé ce que je viens de te dire. Et tu as raison, dans un certain sens. Nous devons acquérir une compréhension plus approfondie du monde qui nous entoure afin de guérir notre cœur. Cette sagesse exige une meilleure connaissance de soi. Je vais donc te raconter une histoire, celle que m'a racontée l'ami qui m'a parlé un jour comme je te parle aujourd'hui. Je suis sûr qu'elle t'aidera à comprendre comment tu guériras ton cœur en te libérant. »

Libérez-vous des liens douloureux

Céleste était une jeune fille heureuse… plus heureuse que la majorité des gens, selon elle. Après tout, ne passait-elle pas ses journées en compagnie de son père, qui s'occupait des jardins royaux ? Elle avait pour amis les colibris et les papillons aux vives couleurs. Chaque jour, les plantes avaient besoin d'elle et de l'attention qu'elle leur accordait. Les journées passaient toujours trop vite. Sa vie n'était pas oisive, elle ne se perdait pas en rêveries infantiles. Elle assumait de véritables responsabilités.

Céleste et son père vivaient frugalement. Leur maisonnette se trouvait bien à l'abri, au sein du petit royaume. Mais leur bonne fortune avait une contrepartie. Son père avait reçu du roi un titre très convoité et chacun savait que cela entraînait certaines responsabilités.

Officiellement, il était gardien des roses du jardin royal. Céleste, malgré son jeune âge, savait que la principale tâche de son père était délicate : pas une journée ne pouvait s'écouler sans que le couple royal fût assuré que le peuple pouvait jouir de la beauté des jardins du palais. Mais ce que Céleste ignorait, c'était que cet aspect du travail de son père était en réalité le moins important et qu'une responsabilité bien plus grave pesait sur ses épaules. C'est ici que notre histoire débute.

Un beau matin, Céleste était occupée à arracher des mauvaises herbes autour d'un jeune massif de petites roses jaunes, dans l'aile ouest des jardins. Soudain, elle entendit son père l'appeler depuis une partie du jardin où elle n'avait pas le droit de pénétrer. Lorsqu'elle se fut rapprochée de l'endroit où il l'attendait, elle eut une surprise.

Il se tenait devant un grand portail de bois, qu'elle n'avait jamais été autorisée à franchir. Cette partie des jardins était entourée d'un haut mur et elle ne savait guère ce que l'on y cultivait, hormis que son père y passait un certain temps chaque jour. Depuis longtemps, elle avait compris que derrière ces portes se dissimulait un grand secret. C'est pourquoi, à l'idée d'une soudaine révélation, elle sentait son cœur battre la chamade. Bien qu'elle fît un gros effort pour paraître calme, son père dut subodorer son excitation. Lorsqu'elle arriva à proximité, il lui dit : « Mais oui, ma petite, tu as compris. Le moment est arrivé. » Et il ouvrit les grandes portes.

Les yeux fixés devant elle, Céleste crut d'abord voir les eaux couleur saphir d'un lac mystérieux. Puis elle se dit rapidement que cela était impossible. Un lac ? Mais d'où venait tout ce bleu ? Elle se prit la tête dans les mains, pour s'assurer qu'elle ne l'avait pas perdue !

Elle se retourna pour sourire à son père qui hocha la tête, lui donnant ainsi la permission d'avancer. Et Céleste pénétra dans une mer de roses bleues, plus splendides que toutes les roses qu'elle avait pu admirer jusque-là. Mais soudain, un événement totalement inattendu se produisit.

Tandis qu'elle se promenait au milieu des roses, leur parfum sembla s'introduire dans son esprit et y germer. Elle eut l'impression que la délicate fragrance des roses pénétrait dans ses yeux. Elle demeura un instant immobile, car elle ne voyait plus où elle allait. Et pourtant, quelques secondes plus tard, c'est le phénomène inverse qui se produisit : elle voyait plus clairement que jamais, comme pour la première fois de sa vie. Elle en ressentait presque de l'appréhension.

Puis elle se sentit peu à peu disparaître dans le bleu profond qui l'entourait, bien qu'elle n'eût jamais encore autant pris conscience de sa propre nature. Unité et unicité se confondirent, un peu comme un tableau reflète la totalité d'une scène bien que l'image soit constituée de milliers de coups de pinceau. L'esprit de Céleste luttait pour comprendre cette perception accrue. Aussi étrange qu'elle fût, elle n'en était pas moins indéniablement réelle.

Chaque rose bleue était vivante et complète, un miracle d'équilibre et d'harmonie, la réplique miniature parfaite d'une réalité plus vaste. Chaque pétale était à sa place. De fait, c'était comme si chacun d'eux avait reçu sa place et ses qualités au début des âges.

C'est alors que Céleste constata que les couleurs mêmes possédaient un parfum et que chaque rose était un élément de cette couleur. Elle cessa d'essayer de comprendre, car cela faisait obstacle à ce qu'elle était en train d'apprendre. Même le son de la voix de son père s'intégrait parfaitement dans cet instant précieux. C'est seulement lorsqu'il lui posa la main sur l'épaule qu'elle comprit qu'il cherchait à attirer son attention.

À contrecœur, elle revint sur terre, son regard retrouva son acuité habituelle et elle leva les yeux sur son père. Il lui souriait comme s'il comprenait parfaitement ce qui lui était arrivé. Pendant l'heure délicieuse qui suivit, il expliqua : « Ces fleurs, dit-il en tendant les bras devant lui et en ouvrant les paumes comme pour saisir des gouttes de pluie, sont les roses du roi. »

Il prit Céleste par la main et, tout en parlant, la conduisit vers le cœur du jardin. « Elles n'ont pas leur pareil. Elles sont rares et inconnues ailleurs. L'une de ces roses est un présent dont le monde ne sait pas encore mesurer l'importance. C'est un amour qui ne meurt jamais. »

Céleste, curieusement, savait très bien de quoi il parlait. Elle avait compris pourquoi il s'exprimait sur ce ton à la fois grave et inhabituel. Elle lui serra la main plus fort, car elle ne trouvait pas de mots pour exprimer ce qu'elle ressentait. Ils atteignirent un petit banc de pierre, sur lequel ils s'assirent.

« Aujourd'hui, reprit le père en la regardant droit dans les yeux, tu pourras, si tu le désires, recevoir une rose bleue en cadeau. Ce que je veux dire, c'est seulement si tu acceptes de la soigner plus méticuleusement que tout ce que tu as pu posséder jusqu'ici. Cela te plairait-il, Céleste ? »

Le large sourire et le regard émerveillé avec lesquels elle accueillit sa suggestion lui répondirent sans qu'elle eût besoin de parler. Il prit alors sous le banc un petit pot en terre cuite duquel jaillissait fièrement un bouton de rose bleue à l'extrémité d'une jeune tige vert tendre. Instinctivement, Céleste tendit la main, mais son père l'arrêta d'un geste.

« Une chose à la fois, ma fille. Voici ce que tu devras faire pour t'occuper de ton nouveau rosier. Tout d'abord, tu l'installeras dans un endroit secret, connu de toi seule, bien ensoleillé et bien aéré. Chaque jour, tu vérifieras s'il a besoin d'eau. N'oublie pas d'arracher chaque mauvaise herbe susceptible d'avoir germé dans le pot. Enfin et surtout, ce dont ton rosier aura besoin... »

Là, il marqua une petite pause, pour s'assurer que Céleste l'écoutait toujours avec la plus grande attention.

« ... c'est de ton affection, Céleste, que tu devras lui prodiguer chaque jour. Il peut se passer de tout, sauf de cela. Te sens-tu capable de t'en occuper ? »

« Oh oui, Papa ! Je promets, je promets ! » Et Céleste reçut l'un des rosiers bleus du roi.

Pendant un mois, environ, tout alla bien. Céleste suivit à la lettre les recommandations de son père. Au bout de quelques jours, le petit bouton bleu commença à s'ouvrir. Puis un deuxième bouton apparut, tandis que la tige grandissait. Le rosier devenait plus beau chaque jour et Céleste y consacrait de plus en plus de temps.

Soudain, la sixième semaine, tout changea. Céleste remarqua que la rose bleue semblait curieusement se faner.

L'enfant pensa avoir trop arrosé le pied. Pendant quelques jours, elle diminua la quantité d'eau. En vain. La rose perdait son lustre à un rythme alarmant. Bien que Céleste craignît que son père ne lui retire le rosier, elle finit par lui confier son problème. La réaction du père fut totalement différente de celle à laquelle Céleste s'attendait.

« Allons voir ta rose, dit-il en souriant, peut-être pourrai-je te dire ce qui ne va pas. »

Céleste avait installé le pot sur le sol, dans un endroit bien abrité. Son père l'inspecta un moment, se pencha, effleura du doigt quelques pétales, puis déclara sur un ton désinvolte : « Tu sais, il arrive que les roses du roi n'aiment pas certains endroits, pour des raisons qu'elles seules connaissent. Peut-être ont-elles trop de lumière ou pas assez. Qui sait ? Ce que je te conseille, poursuivit-il en tournant les talons, c'est de la déplacer. Peut-être cela suffira-t-il. »

Céleste était perplexe. La désinvolture de son père, qui l'avait pourtant si sérieusement sermonnée au moment de lui confier la rose, lui semblait totalement incongrue. Mais elle suivit son conseil et découvrit un autre endroit où la rose serait peut-être plus heureuse. Toute contente, elle saisit le pot.

Ou du moins, elle essaya. Car un phénomène étonnant se produisit ! Elle ne put soulever le pot, qui semblait fixé au sol. Céleste banda ses muscles et tira en se disant qu'un peu de terre avait peut-être séché sous le pot. Mais le pot demeura cloué à terre, tandis qu'un long frisson traversait le rosier bleu.

Céleste ne remarqua pas la peur qui s'infiltrait peu à peu dans son cœur, pas plus qu'elle n'avait conscience de la colère qui lui affirmait que ce n'était pas ce pot ridicule qui allait contrer sa volonté. Elle le saisit de nouveau et tira d'un grand coup. Un instant plus tard, elle se sentit tomber. Car ce n'était pas le pot qui s'était décollé du sol, c'était le rosier bleu. Céleste ouvrit de grands yeux en examinant les dommages. Certaines racines étaient maintenant à nu et la rose bleue tenait à peine sur sa tige. Avant même de réaliser ce qu'elle faisait, elle était partie en courant à la recherche de son père. Dans sa tête, elle cherchait tous les moyens de comprendre ce qui s'était passé et de se disculper.

Curieusement, après qu'elle se fut confessée, son père ne sembla guère étonné. Tandis que tous deux retournaient vers le lieu du désastre, Céleste constata qu'il n'était pas en colère et elle se sentit soulagée. Mais cette attitude la déconcertait. Un instant plus tard, tous deux étaient penchés sur la rose agonisante.

Le père s'accroupit près du rosier et fit signe à Céleste de l'imiter. Puis, en prenant un côté du pot de la main gauche, il tenta de le soulever de la main droite. Tirant doucement vers lui, il finit par décoller le fond du sol. « Regarde, Céleste, dit-il, regarde ce qu'il y a sous le pot. Que vois-tu ? »

Céleste pencha la tête et n'en crut pas ses yeux. Des racines brunes et noires avaient pratiquement dévoré le fond du pot et s'étaient faufilées dans la terre par l'orifice d'évacuation de l'eau. Céleste n'avait encore jamais rien vu de semblable. Il n'était guère étonnant qu'elle n'ait pas réussi à le décoller ! Ces racines le fixaient à la terre ! Elle regarda son père d'un air interrogateur. « Aucun problème, répondit-il tranquillement. » Et il sortit de sa poche une paire de ciseaux aux lames bien affûtées. L'une après l'autre, il trancha les racines parasites.

Céleste l'observait attentivement. Lorsqu'il ne resta plus que la moitié des racines, le père lui tendit les ciseaux : « À ton tour. »

Un peu hésitante au départ, elle l'imita et finit peu à peu par sectionner toutes les racines. Pendant ce temps, son père lui expliquait ce qui était arrivé au rosier bleu.

« Vois-tu, dans notre monde, il existe des forces opposées qui semblent vouloir se dresser contre ce qui est bon, un peu comme une maladie ou une sécheresse. » Il poursuivit en choisissant soigneusement ses mots. « Ces forces sont des éléments de la Nature. Mais quelle que soit la forme qu'ils revêtent pour exprimer leur propre nature, à long terme, tous ces éléments œuvrent pour le bien de tous. »

« Malheureusement, expliqua-t-il tout en regardant Céleste continuer de couper les racines sombres, il y a d'autres forces dans l'univers qui ont pour but de détruire la beauté, la bonté et le bonheur. Ces créatures vivent pour cette raison, elles ne veulent pas que le bien s'épanouisse sur la terre. Dans un certain sens, ces forces négatives et les milliers de formes qu'elles revêtent font partie de notre monde, un peu comme les chauves-souris font partie de la nuit au sein de laquelle elles évoluent. » Céleste le regarda attentivement, désireuse de comprendre le sens implicite de ses paroles.

« Ces racines que tu es en train de trancher, Céleste, ont poussé sous ton rosier pour parasiter ses propres racines. Heureusement, tu t'en es aperçue avant qu'elles n'aient pu l'endommager gravement. Elles appartiennent à une forme de vie qui n'existe qu'en volant ce qui appartient aux autres et elles ne peuvent s'épanouir que tant qu'elles demeurent invisibles. »

Hochant la tête, il poursuivit : « Elles naissent dans les ténèbres, vivent dans les ténèbres et souhaitent faire de notre monde un antre de ténèbres perpétuelles. » Et, lisant la pensée de Céleste, il ajouta : « Ces forces parasites abhorrent tous les rosiers bleus. »

« Mais je n'ai vu aucune trace de ces racines noires lorsque tu m'as fait visiter le jardin du roi ! » protesta-t-elle.

« Et tu n'en verras pas. Contre un rosier adulte, ces forces sont impuissantes. Mais lorsqu'elles en ont la possibilité, elles s'infiltrent dans un jeune pied comme celui-ci afin de lui dérober les éléments nutritifs dont il a besoin pour croître et s'épanouir. En fin de compte, ces racines sombres sont pitoyables, car elles n'ont aucune intelligence. Leurs seuls atouts sont leur malice et leur invisibilité. » Céleste acheva alors de trancher les dernières racines. Le pot de terre cuite était libre et le rosier bleu n'avait plus rien à craindre. Pourtant, la rose était toujours en piteux état.

« Ne crains rien », expliqua le père qui comprit parfaitement le désarroi de sa fille et lui caressa doucement la tête. « Tout ce dont ta rose a besoin, c'est de ton affection. Elle récupérera sans problème. Mais tu prendras soin de la placer dans un endroit sûr, n'est-ce pas ? »

Céleste ne répondit pas. Elle était déjà repartie en direction d'une autre cachette. Là, grâce à ses soins attentifs, son rosier bleu grandirait hors de portée des méchantes racines noires.

Ce que votre cœur désire

« C'est la fin de l'histoire, Kathy », dit le médecin. Il la regarda en fronçant exagérément les sourcils, comme pour s'assurer qu'elle avait bien compris. Kathy secouait la tête en signe d'incrédulité et il interpréta cela comme un bon signe. Il savait qu'une large portion du message avait fait son chemin. Mais il ajouta une dernière observation.

« Vois-tu, Kathy, la véritable nature de notre cœur n'est pas brisée dès le départ. Loin de là. Notre cœur, tu l'as compris, c'est le jeune rosier bleu : parfait, droit, rempli du parfum de la vie, innocent et invulnérable tant qu'il demeure dans le jardin du roi. » Il rassembla ses idées avant de poursuivre : « Lorsque notre cœur se brise, c'est simplement parce qu'il a été déchiré, un peu comme le rosier de Céleste s'est presque déchiré lorsqu'elle a essayé de soulever le pot du sol. Et tout comme la jeune rose a failli être victime des forces ténébreuses qui l'avaient envahie, nous aussi nous en sommes parfois victimes. Nous avons parlé du déchirement tout à l'heure, des désirs opposés qui s'affrontent en nous. » Kathy hocha la tête.

« C'est de cela dont je parle : plus nous croyons, comme nous avons tendance à le faire, qu'il existe quelque chose qui a le pouvoir de nous rendre heureux, plus nous nous attachons à ces idées et à ces désirs qui se faufilent dans notre cœur. Mais c'est une imposture. Ces désirs illusoires, qui se déguisent pour nous séduire, ne sont en fait que les racines sombres de l'histoire. Et plus nous nous identifions avec les sensations agréables qu'ils essaient de nous procurer et qui proviennent des images dans lesquelles ils sont emmagasinés, plus nous devenons dépendants d'elles. Nous passons alors le reste de notre vie à imaginer que la personne ou l'objet que nous désirons nous rendrait heureux si nous les possédions. »

Il marqua une nouvelle pause, comme pour puiser dans ses pensées, puis reprit : « Cette conclusion, bien que naturelle, est fausse. Mais que pouvons-nous faire d'autre que de vivre dans la terreur de tout ce qui pourrait menacer de modifier ces conditions ? » Il prit une grande inspiration, afin de permettre à Kathy de bien saisir sa pensée.

« Comprends-tu, Kathy ? C'est inévitable. La peur étrangle l'amour, elle tue la compassion. Elle étouffe le cœur en lui disant que la perte de l'objet qui lui procure de la joie ne lui apportera plus que des souffrances. C'est pourquoi le cœur s'accroche encore davantage à son désir. Et, volontairement bien qu'inconsciemment, il se ferme à la vie. Il ne comprend pas qu'il rejette ce qu'il désire le plus : la liberté d'aimer. Et à chaque cycle inconscient, notre cœur s'embrouille de plus en plus dans le réseau complexe des racines sombres qui le détruisent. Peu à peu, il perd sa simplicité, son ouverture. Il acquiert un caractère soupçonneux qui ne lui est pas naturel. Et il ne recherche plus que les désirs et les attachements qui l'ont trahi et ont contribué à sa destruction ! »

Kathy prit une profonde respiration en levant les yeux vers le vieux ventilateur qui tournoyait lentement au plafond. Elle ne pouvait s'empêcher de songer que sa vie ressemblait aux lentes révolutions de l'appareil. Mais aujourd'hui, elle avait appris des choses qui lui permettraient de tout changer. C'est pourquoi elle insista : « Dites-moi comment je pourrais me libérer. Je veux vraiment savoir. »

« Cette libération ne se produit pas par hasard. Un oiseau ne se met pas à voler avant d'avoir pris la direction du ciel. Dans les deux cas, il s'agit d'un bond en avant, mais, comme tu le comprendras, ils sont très naturels et conviennent parfaitement à chaque espèce. »

De dessous la pile de dossiers, sur son bureau, il sortit un livre en reliure de poche. La manière dont il le tenait fit comprendre à Kathy qu'il s'agissait d'un vieil ami. Il le lui tendit.

Elle demanda d'une voix amusée – elle commençait déjà à se sentir beaucoup mieux : « Et qu'est-ce donc que ce vieux bouquin ? »

« C'est un petit trésor, fut la réponse, le livre que mon ami m'a offert le jour où il m'a raconté l'histoire que tu viens d'entendre. » Le médecin souriait largement.

« Maintenant, il est à toi, Kathy. Emporte-le. Conserve-le près de toi. Étudie ses leçons. Apprécie ce qu'il t'apprendra et, surtout, apprends à aimer ce qu'il te montrera de ton cœur complexe. Ses pages contiennent tout ce qu'il faut savoir sur la manière de s'y prendre afin de trancher les racines noires qui se sont infiltrées dans ton cœur. Écoute ses conseils et tu allumeras en toi la lumière vivante qui non seulement guérira ton cœur blessé, mais encore le gardera intact et heureux pour toujours. »

Kathy serra le livre contre sa poitrine et, sans un mot, quitta le cabinet du médecin pour entamer sa nouvelle vie. Tout le long du chemin, elle ne cessa pas de sourire.

Vous tenez dans les mains le livre même que Kathy a précieusement emporté avec elle ce jour-là. Assimilez la connaissance qu'il contient, étudiez ses principes, voyez comment votre libération vous ouvrira simultanément les portes de la guérison et de la joie de vivre.

Le mot du maître

Q : Je sais que je ne suis pas unique ; tous les gens que je connais s'agitent perpétuellement ! Pourquoi nous est-il si difficile d'être tranquille, en paix avec nous-mêmes ?

R : *Tu nous as créés pour Toi et notre cœur ne connaîtra aucun répit tant qu'il ne t'aura pas découvert.*

SAINT AUGUSTIN

Q : Que nous est-il arrivé ? Pourquoi notre cœur est-il brisé ? Comment apporter de véritables changements à notre vie ?

R : *L'œil clair d'un enfant est très vite troublé par des idées et des opinions, des idées reçues et des abstractions. Des êtres libres et simples finissent par ployer sous l'armure pesante de l'ego. Il faut des années pour qu'un instinct se réveille, qui nous murmure que le sens vital du mystère nous a été retiré. Le soleil luit à travers les pins, le cœur est percé par un instant de réalité et d'étrange douleur, comme un souvenir du paradis. À partir de ce moment-là... nous sommes à la recherche du vrai.*

PETER MATTHIESSEN

Récapitulation des points principaux

1. Les sensations émotionnelles sans fin qui pénètrent dans notre cœur et finissent par le posséder ne sont pas authentiques. La chaleur cuisante du soleil estival, la neige glacée de l'hiver ne sont pas identiques au ciel qu'elles remplissent en le traversant.

2. Pas plus qu'un terrain vague ne peut se transformer subitement en un jardin fertile et productif sans un dur travail de labour, notre âme ne peut révéler sa richesse intrinsèque sans que nous prenions conscience de ce qui gît sous la terre obscurcie.

3. Ce n'est pas à une personne ou à un objet que nous nous attachons, mais seulement à la manière dont l'image de cette personne ou de cet objet se reflète dans notre esprit. Ce n'est pas à l'objet que nous sommes attachés, mais à l'amour de certaines sensations familières que l'évocation de cette image stimule de façon mécanique.

4. Ce sont les souhaits et désirs du cœur qui troublent des eaux dont il aimerait pourtant préserver la sérénité. Cette contradiction n'est résolue que par la volonté de la divinité.

5. Lorsque nous prenons le parti de la vérité, c'est elle qui, ensuite, prend le nôtre, en nous offrant la noblesse, la nécessité et le divin. La vérité nous apporte la force de la sagesse, abritée par la lumière, afin que notre cœur connaisse enfin le bonheur d'avoir mis son dessein en œuvre.

Chapitre deux

Découvrez les mystères de votre véritable Soi

Voici un secret immémorial, aussi énorme, aussi puissant que notre désir de découvrir la vérité sur notre nature : *nous vivons, un instant après l'autre, dans un monde de la taille de ce que nous en comprenons*. C'est très encourageant, songez donc ! Lorsque nous nous sentons petits, dénués d'importance, émotionnellement incapables de nous élever au-dessus de la douleur, c'est parce que nous vivons à partir d'éléments inconscients de nous-mêmes, de taille limitée et coupés du flot majestueux de la vraie vie. Depuis cette perspective psychologique, il est facile de comprendre pourquoi, dans ces circonstances, nous sommes dupés par notre douleur, qui semble être notre dernier, notre seul recours. Voici une simple illustration de ce qui se produit lorsque nous sommes prisonniers de cette geôle interne.

Il y a quelques années, il était possible d'acheter des pailles spéciales qui transformaient du lait en lait au chocolat. L'intérieur des pailles était revêtu d'un produit à base de cacao. Le lait aspiré dans la paille faisait fondre le cacao. De la même manière, lorsque nous examinons notre vie à travers le miroir de cet état douloureux, l'image que nous en retirons est comprimée par les limites du miroir, déformée par le côté négatif de notre Soi. Tout nous semble mesquin, obscur, futile. Mais voici la leçon qu'il faut en tirer.

Il est évident qu'à certains moments de notre vie nous aurons l'impression que le bonheur nous a abandonnés, que nous sommes impuissants face à l'adversité. Pourtant, ce n'est pas là la vérité. Nous n'avons pas atteint la limite de nos possibilités, nous sommes simplement parvenus aux limites de notre compréhension de la situation. Regardons maintenant tout cela de plus près : tout ce qui nous diminue, nous écrase ou nous plonge dans le désespoir est représenté par les éléments invisibles de notre vie qui dominent la vision que nous avons de notre vie. Autrement dit, quiconque se sent petit est en réalité la victime de la conviction selon laquelle il n'existe rien de plus grand que les pensées et sentiments mesquins à travers lesquels cette personne regarde la vie.

Essayez d'admirer la majesté d'une montagne à travers un microscope et vous aurez une idée de ce à quoi nous devons faire face lorsque nous comprenons enfin l'étendue illimitée de notre Soi caché. Nous n'avons nul besoin d'empiler des possessions, toujours plus belles, toujours plus éclatantes, pour nous sentir bien dans notre peau. Nous avons tous essayé de regarder la vie à travers des lunettes roses. Qui croit encore qu'ajouter une nouvelle couleur à nos problèmes suffira à nous en débarrasser ?

Ce dont nous avons besoin, c'est d'une compréhension entièrement nouvelle de l'existence. Nous l'acquerrons en dépassant le seuil de conscience qui nous permettra de voir comment nous nous sommes vus tout petits ! Voici une anecdote qui vous ouvrira les yeux sur d'étonnantes possibilités.

Le trésor caché en vous

Il était une fois, à une époque moins éloignée que nous aurions tendance à le croire, une reine qui envoya l'une de ses dames d'honneur en quête de sa fille, la princesse Constance.

Au moment où elle reçut l'ordre de se rendre immédiatement auprès de la reine, Constance était fort occupée. En effet, elle présidait un élégant goûter imaginaire, auquel elle avait convié des visiteurs de marque tout aussi imaginaires. Vous comprendrez sa déception lorsqu'elle fut contrainte de s'absenter ! Mais elle avait été bien élevée et sa mère, la reine, lui avait appris très tôt que, lorsqu'on appartient à la famille royale, il faut parfois sacrifier ses petits plaisirs à des causes plus nobles. Constance s'en alla donc trouver la reine, les rubans de ses cheveux balayant l'air derrière elle, comme des filaments nuageux dans un ciel nettoyé par le vent.

Lorsqu'elle parvint aux grandes portes de bois de la chambre maternelle, elle marqua une courte pause afin de reprendre son souffle. Puis elle toqua à la porte, selon un code secret que sa mère lui avait enseigné, afin que cette dernière sût toujours qui frappait. Comme à l'accoutumée, elle entra sans attendre la réponse.

Elle avait à peine traversé l'antichambre au sol dallé que sa mère lui disait, sur un ton plus sérieux que d'habitude : « Constance, viens donc t'asseoir près de moi. »

Constance s'approcha, scrutant du regard la reine, se demandant quelle bêtise elle avait bien pu commettre. Mais elle fut accueillie par un sourire. Et plaçant ses petites mains dans celles de sa mère, elle s'assit à ses côtés. Instinctivement, elle comprit qu'elle devait rester silencieuse et toutes deux partagèrent ainsi un moment d'affection tacite.

Constance avait depuis longtemps appris à faire la différence entre la voix de « Maman » et celle de « Sa Majesté la reine ». Lorsque sa mère prit la parole, c'était de sa voix royale. « Constance, commença-t-elle solennellement, bien que tu ne sois qu'une enfant, tu es désormais assez grande pour recevoir le cadeau que je te destine depuis ta naissance. »

Elle regarda sa fille, pour s'assurer que Constance la suivait avec attention. Mais elle n'avait aucun souci à se faire. Constance buvait ses paroles et la gratifia d'un grand sourire. De fait, les pensées de la jeune princesse se bousculaient à grand vacarme dans sa tête et Constance entendit à peine la suite. Lorsqu'elle quitta les appartements royaux, elle avait compris que ce mystérieux cadeau lui serait remis le lendemain matin, après le petit déjeuner. Mais qui était capable d'attendre aussi longtemps ?

Constance regagna en courant ses propres appartements, dans l'aile ouest du château. Puis à peine entrée dans sa chambre, elle se jeta sur son lit. Tout l'après-midi, elle songea à ce qui l'attendait le lendemain. Une image spectaculaire de ce qui allait être à elle traversait rapidement son esprit, pour être aussitôt supplantée par une autre image, encore plus somptueuse. Les possibilités étaient infinies. Après tout, n'était-elle pas la fille d'une grande reine, qui régnait sur une immense contrée ? N'était-elle pas l'héritière de toutes ces richesses ?

Allait-elle recevoir son propre carrosse doré, tiré par quatre étalons blancs, assorti de quatre valets de pied, tous vêtus de velours noir ? Ce serait très acceptable. Mieux encore, peut-être sa mère allait-elle lui offrir un petit château, rien de trop ambitieux, juste assez grand pour recevoir ses amis, sans ingérence des grandes personnes. Ou alors, c'était peut-être sa dot qu'on allait lui offrir ! Son cœur bondit en se souvenant du jour où elle s'était glissée en cachette dans la salle du trésor royal, qui contenait un nombre incalculable de coffres ouverts, débordant de joyaux, de pierres précieuses et de perles de toutes les tailles, des soieries précieuses, plus de pièces d'or et d'argent qu'une seule personne était capable d'en compter en une vie. Constance passa donc le reste de la journée et la soirée à rêvasser. Elle ne dormit guère et ce fut l'une des nuits les plus longues de sa jeune vie.

Le lendemain, après le petit déjeuner obligatoire qu'elle parvint avec peine à avaler, Constance vit sa mère debout à l'entrée de la grande salle à manger. D'un signe de sa main gantée de blanc, la reine enjoignit à Constance de la suivre et disparut dans le couloir. Constance lui emboîta aussitôt le pas. Lorsqu'elle l'eut rattrapée, elle constata avec surprise que la reine était parvenue dans la cour d'honneur et s'apprêtait à monter en carrosse. Mais où donc allaient-elles ? Pourquoi maintenant ? Ce n'était pas à cela que Constance s'attendait. Mais tout en ravalant sa déception, elle suivit sa mère dans le carrosse. Dès qu'elle se fut installée sur le banc rembourré qui faisait face au siège de la reine, le carrosse s'ébranla.

Les quatre heures qui suivirent furent les plus énervantes que Constance eût jamais connues. Jusqu'à ce que le carrosse s'arrête devant la villa royale sise au bord d'un lac. La reine expliqua à sa fille qu'elles y passeraient la nuit. Constance s'interrogeait : sa mère avait-elle oublié le fameux cadeau ? S'agissait-il d'un test pour savoir si Constance était digne de le recevoir ? Devait-elle se rebiffer ou, plutôt, continuer d'obéir tranquillement à sa mère ? Parce qu'elle souhaitait dissimuler son émotion aux yeux de leur entourage, Constance décida de se taire.

La soirée se traîna, un peu comme les interminables défilés auxquels elle était souvent contrainte de participer. Heureusement, demain, tout s'éclairerait ! Du moins en était-elle persuadée ! Et pourtant, le lendemain, tandis qu'elle inspectait discrètement l'intérieur du carrosse royal, au cas où le cadeau aurait été dissimulé sous les coussins, l'un des cochers lui fit part d'une nouvelle époustouflante : on se préparait à partir pour le chalet montagnard de la famille royale, à huit heures de route du lac ! « Mais c'est impossible ! » faillit-elle s'écrier. Elle se retint juste à temps. Cependant, après un rapide petit déjeuner, sans que personne eût mentionné le cadeau royal, le carrosse s'ébranla de nouveau.

Bien que la campagne étincelât des mille couleurs de l'automne, le voyage parut interminable à Constance. Enfin, à la tombée du jour, le carrosse parvint au château royal sis dans le nord du pays. Un banquet attendait les arrivants. Constance reprit espoir. Malheureusement pour elle, la soirée se déroula sans aucune allusion à un quelconque cadeau. En dépit du chuintement de la grande cascade qui surgissait près du château, pour se jeter dans une rivière au pied de la montagne, Constance ne ferma pas l'œil de la nuit. « Demain, nous en finirons avec tout cela », se disait-elle. Mais elle se sentait impuissante et, comme elle n'allait pas tarder à le découvrir, la situation ne s'améliorerait guère.

Pendant les cinq jours qui suivirent, Constance, la reine et leur petit cortège de serviteurs poursuivirent leur odyssée. Ils passèrent une nuit dans les vignobles royaux, une journée à visiter les mines royales. Puis, après avoir traversé de grandes vallées et des champs étendus, ils inspectèrent les silos remplis de blé. Enfin, le carrosse atteignit le bord de la mer et tout le monde s'embarqua pour une croisière au crépuscule, à bord d'un navire de la marine royale. Que faire ? Constance estima que la meilleure solution consistait à faire mine d'avoir oublié le fameux cadeau, bien qu'il accaparât entièrement ses pensées. Mais les plus beaux projets sont parfois victimes d'aléas incontournables...

Au soir du septième jour, Constance aperçut, sur l'autre rive du grand lac que le carrosse était en train de longer, la villa royale où sa mère et elle avaient passé la première nuit. Elle fit un rapide calcul et ne put s'empêcher de frissonner. Car cela ne pouvait signifier qu'une chose : le carrosse longeait la rive est du lac, ce qui l'entraînerait dans les territoires méridionaux du royaume de sa mère. Encore une semaine interminable de voyage, sans la moindre allusion à un quelconque cadeau. Elle ne pouvait plus se contenir.

« Mais enfin, Maman, pourquoi ne veux-tu pas me donner le beau cadeau dont tu m'as parlé il y a huit longues journées ? Qu'ai-je fait pour mériter d'être punie de cette manière ? » En un instant, elle eut l'impression qu'un immense vide la séparait soudain de sa mère et elle se sentit bizarrement attristée. Elle leva les yeux vers la reine et sursauta. Le regard de sa mère était empreint d'un immense chagrin.

« Maman, murmura-t-elle d'une voix que le grincement des roues du carrosse sur la route caillouteuse rendait à peine audible, je te demande pardon. Je suis désolée. Je te promets de ne plus jamais en parler. »

Mais au lieu de répondre, la reine se pencha en avant pour demander au cocher d'arrêter le carrosse. Puis après avoir attendu un instant que la poussière de la route retombe, elle ouvrit la portière. « Viens », ordonna-t-elle à sa fille. À contrecœur, Constance obéit et sauta sur la route. Toutes deux se mirent à marcher le long du lac.

Constance sentait l'émotion monter en elle, tandis qu'elle suivait sa mère vers le crépuscule. Mais, surtout, ce fut le silence de plus en plus embarrassant qui l'incita à s'excuser une fois de plus de son comportement peu digne d'une princesse royale. Toutefois, sa mère l'interrompit dès les premières paroles.

« Ce n'est rien, ma chérie, ce n'est pas nécessaire de t'excuser, affirma la reine d'une voix réconfortante. N'en parlons plus. De toute façon, ajouta-t-elle, j'ai moi aussi ma part de responsabilité dans tout cela. »

Elle enlaça sa fille, l'attira contre elle et, tout doucement, lui fit décrire un cercle complet. « Maintenant, dit-elle, je vais t'offrir ton cadeau de manière à éviter tout malentendu. »

La reine tendit le bras d'un geste qui embrassait tout le paysage alentour. « Écoute, ma chère fille, depuis sept jours et sept nuits, nous traversons ton cadeau, mais tu ne t'en es pas rendu compte, parce qu'il était trop grand pour toi. »

Constance scruta le visage de sa mère afin de s'assurer qu'elle avait bien entendu ses paroles. Lorsqu'elle vit la reine lui sourire, dans l'immensité du moment partagé, elle comprit tout. Alors, elle aussi sourit, reconnaissante d'avoir reçu ce cadeau incommensurable. Un sentiment entièrement nouveau s'infiltrait dans son cœur. Pour la première fois de sa jeune vie, Constance sentit l'humilité la pénétrer. Et elle comprit immédiatement qu'il lui était impossible de séparer cette toute nouvelle sensation de la révélation qui l'avait fait naître : *quelle imagination limitée tu as, Constance ! Comment n'as-tu pas vu ce qui se trouve depuis toujours devant tes yeux ?*

Tandis qu'elle commençait à explorer cette découverte, une autre révélation la saisit, tout aussi puissante que la première : depuis une semaine, elle endurait de terribles affres et tout cela pour rien ! Elle regarda sa mère, ouvrit la bouche, mais la reine la devança. Il était évident qu'elle avait parfaitement compris le cheminement que Constance venait d'accomplir : « Mais oui, ma fille, tu as parfaitement raison. Tout ce que tu vois autour de toi t'appartient aujourd'hui, mais en réalité t'a toujours appartenu, depuis l'instant de ta naissance. »

Ouvrez les yeux pour vous libérer

Nous nous sommes tous déjà sentis prisonniers de petites choses, de préoccupations mesquines et de désirs limités qui s'introduisent dans notre conception de la vie et nous dressent contre tout ce qui peut donner l'impression de vouloir contrarier ces désirs. Voici une liste brève de ces petits trouble-fêtes qui finissent par nous gâcher la vie lorsque nous les croyons nos amis.

1. Être convaincu que les autres ne devraient nous traiter que comme nous le méritons.
2. S'attacher puissamment aux objets les plus insignifiants ou les plus étranges qui nous entourent.
3. Être persuadé que personne ne distingue les situations aussi clairement que nous.
4. Vivre dans une rancœur sourde, causée par l'amertume de relations passées ou actuelles.
5. Être absolument persuadé que personne n'a le droit d'interrompre nos plaisirs.

Comment nous assurer que ces conditions n'ont aucune importance dans le contexte grandiose de l'existence ? Nous avons tous vécu ce genre de moments. En raison d'une crise quelconque, indépendante de notre volonté, nous parvenons momentanément à comprendre que nous avions perdu de vue ce qui était vraiment important.

Peut-être sommes-nous l'une de ces personnes douillettes et légèrement hypocondriaques ; soudain, nous apprenons qu'un être cher est atteint d'une maladie incurable. Ou alors, nous sommes persuadés d'être seuls à connaître le vrai chagrin ; mais un jour arrive où, en accusant aigrement un membre de notre entourage de ne pas compatir à notre situation, nous constatons que cette personne souffre autant que nous, voire que nous sommes responsables de sa détresse. Ou encore peut-être nous trouvons-nous en compagnie de quelqu'un qui possède moins que nous, mais qui est heureux de partager le peu qu'il a, sans peur du lendemain. Dans ces circonstances, si nous possédons encore un cœur humain, nous nous rendons compte, en toute humilité, que nous étions aveugles, incapables de distinguer l'immensité de ce que nous possédons.

C'est à des moments de ce genre – moments d'ailleurs trop rares pour la bonne santé de notre âme – que nous faisons une découverte étourdissante certes, mais extraordinaire : nous étions perdus dans une toute petite partie de nous-mêmes, inconscients de l'influence de nos désirs égoïstes, ainsi que de la rançon élevée de cet égoïsme pour les gens qui nous entourent.

Une autre révélation surgit alors, encore plus cruciale : *nous nous prenions pour ce que nous ne sommes pas !* Et c'est ainsi qu'en cet instant inappréciable, nous nous réveillons à la première étincelle de connaissance de soi que recherchent tous ceux qui souhaitent découvrir la vérité sur leur propre nature. Nous commençons à comprendre que nous avons accueilli une nature inconsciente qui non seulement nous rend aveugles au monde auquel elle nous lie, mais encore voudrait nous faire croire que son petit fief est identique à l'immense royaume de notre vraie nature.

Comment une telle supercherie peut-elle demeurer indécelable si longtemps ? Nous n'accepterions jamais cet aveuglement, nous ne laisserions jamais passer la chance de devenir un être bon et compatissant si nous pouvions faire autrement. Et pourtant, il semble évident que nous vivons dans l'ombre d'influences néfastes qui demeurent invisibles à nos yeux. L'anecdote qui suit vous révélera la nature secrète de cette étrange servitude. En outre, elle vous fournira quelques idées pour commencer à vous libérer des entraves qui vous retiennent.

Paul était fatigué de son existence hyperactive dans la grande ville où il était né. Il avait envie de tranquillité. Il se souvint qu'autrefois il avait envisagé de s'installer à la campagne. Et un jour, comme cela arrive parfois à ceux qui souhaitent rompre avec un mode de vie insatisfaisant, un concours de circonstances lui permit de réaliser son rêve. Après avoir pris congé de ses amis et réglé tous les problèmes, il s'installa dans une région rurale, à une demi-heure de voiture de la petite ville la plus proche.

En fin d'après-midi, il arriva à la ferme qu'il avait louée avec option d'achat. La maison se trouvait au cœur de plusieurs hectares de bois et de pâturages. Lorsque Paul descendit de voiture, deux sensations s'emparèrent de lui. Tout d'abord, il se sentit en sécurité et se dit que c'était là un état d'esprit particulièrement confortable. Il prit une grande respiration et renifla l'air de la campagne. À l'exception d'un petit groupe d'oiseaux qui gazouillaient quelque part dans un champ proche, tout était silencieux.

Au même moment, Paul ressentit une grande fatigue à l'idée du travail qu'il allait devoir fournir pour mettre sa nouvelle demeure en état. « Ma foi, se dit-il, la première chose à faire, c'est d'aller acheter des provisions au village. On verra ensuite. » Il emporta ses bagages dans la maison et, un peu plus tard, confortablement installé dans son lit, les fenêtres grandes ouvertes sur la nuit, il s'endormit en rêvant à sa nouvelle vie.

Le lendemain matin, lorsqu'il arriva au village, il fut étonné d'y découvrir un magasin général très bien monté. En effet, des dizaines de rangées étaient bourrées de tout le nécessaire, de la soupe en boîte aux boulons dont il aurait besoin pour réparer la porte d'un placard. Tout ce qu'il manquait, c'était un employé pour l'aider à trouver ce qu'il cherchait.

« Bon, allons-y », se dit-il en examinant sa longue liste d'emplettes. Derrière le comptoir, il avisa un homme âgé qui semblait faire une petite sieste, à dix heures du matin. Comment Paul parviendrait-il à faire toutes ses courses si personne ne lui donnait un coup de main ? Il réprima son agacement et s'approcha de l'employé pour lui demander, aussi poliment que possible, où se trouvaient le détergent à vaisselle et les autres produits de nettoyage. L'homme répondit aimablement à ses questions et, hochant la tête en remerciement, Paul partit explorer le magasin.

Trois minutes plus tard, les produits de nettoyage dans son panier, Paul était à la recherche des tomates pelées au jus, qu'il aimait utiliser pour confectionner sa sauce tomate préférée. Il vit des haricots, du maïs, une variété époustouflante de sauces au chili, mais pas de tomates au jus. L'impatience le gagna et il dut retirer sa veste, car il commençait à s'échauffer. Au bout d'un instant, il retourna vers le comptoir pour réclamer de l'aide. L'employé apparut et lui montra, d'un geste de la main, le rayon où se trouvaient les tomates.

Pendant la demi-heure qui suivit, cette petite scène se répéta une bonne douzaine de fois. À chaque reprise, Paul avait besoin d'aide pour trouver ce qu'il cherchait. Cela l'agaçait prodigieusement. Enfin, incapable de trouver le dernier article de la liste, il finit par sortir de ses gonds.

« On ne trouve rien dans ce fichu magasin ! s'exclama-t-il. Les choses sont placées n'importe comment sur les étagères et les étagères ne sont même pas en ordre ! » Il espérait ainsi provoquer l'employé qui se tenait derrière lui et le regardait paisiblement. « Je ne crois pas que je reviendrai souvent faire mes courses ici ! »

L'employé, toutefois, garda le silence, qui devint quelque peu embarrassant. Mais ce n'était rien par rapport à la honte que Paul allait ressentir quelques instants plus tard. Lorsque le vieil homme se décida à répondre, il le fit d'une voix calme : « Naturellement, monsieur, vous êtes libre de faire vos achats où vous l'entendez, mais permettez-moi de vous faire remarquer une petite chose que vous n'avez peut-être pas vue. » Paul garda le silence et l'employé poursuivit son explication.

« Si vous reveniez sur votre décision, je serais très heureux de vous aider à trouver les articles dont vous avez besoin. Mais au cas où vous n'auriez pas remarqué cela, dans ce magasin, il suffit de lever la tête pour voir où tout se trouve. » Et il pointa du doigt vers le plafond.

Presque involontairement, Paul suivit le doigt du regard. Et il faillit tomber à la renverse. Car juste au-dessus de lui, parfaitement alignés au-dessus de chaque allée, pendaient des panneaux indicateurs des divers produits que l'on trouvait sur les étagères, avec les marques et le numéro de l'allée.

Paul se sentit aussi honteux que le jour où, à l'école primaire, il avait accusé son meilleur ami de lui avoir volé son goûter. Cet après-midi-là, il devait jouer son premier match en ligue mineure et ressentait un trac terrible. Il avait tout simplement oublié son goûter dans la cuisine, à la maison.

« Je vous prie de m'excuser, marmonna-t-il dès qu'il eut repris ses esprits. Je ne sais pas ce qui m'est arrivé. Je crois que j'étais tellement pressé de faire mes courses que j'ai perdu la tête. J'étais aveugle. » Il sourit à l'employé.

« Ne vous inquiétez pas, je comprends, répondit le vieil homme en lui rendant son sourire. Nous passons tous par là. Ce qui compte, c'est que vous ayez trouvé tout ce que vous cherchiez, n'est-ce pas ? »

Paul acquiesça et, jugeant que cela était particulièrement approprié, ajouta : « Merci de la leçon. » L'employé hocha la tête et retourna paisiblement derrière son comptoir, afin d'accueillir le client suivant.

Tous très occupés à nous tailler une place au soleil, nous avons oublié par les temps qui courent un message spirituel qui a pourtant acquis ses lettres de noblesse, jadis. Sa simplicité n'a d'égal que son éloquence, et sa sagesse s'applique à chacun de nous, où que nous soyons parvenus dans notre quête du présent. Songez à l'anecdote que vous venez de lire, à l'aveuglement de Paul : les arbres lui cachaient la forêt.

Tout comme la petite princesse du conte ne distinguait pas l'immensité du cadeau maternel, parce que son jeune esprit s'était fixé sur quelque chose de plus petit, de très limité, Paul était aveugle à la réalité de sa propre condition intérieure : il ne pouvait voir les panneaux suspendus au-dessus de lui parce que tout ce que ses yeux voyaient, c'était ce que son cerveau considérait comme un problème. Par conséquent, à l'instar de la petite princesse et de Paul, aveuglés par les *petites choses*, nous avons rarement l'idée de lever les yeux pour recevoir le plus somptueux cadeau du monde : la conscience de l'existence en chacun de nous d'une nature divine dont le royaume nous appartient.

William Blake écrivit un jour : « Le rugissement du lion, le hurlement du loup, le fracas d'une mer en furie et le sifflement meurtrier de l'épée sont des portions d'éternité trop vastes pour l'œil de l'homme. » Qui ne s'est pas senti parfois exclu de l'immensité de la vraie vie ? Lorsque nous sommes dévorés par des soucis banals, tout ce que la vie peut nous réserver de grand et de majestueux pourrait bien se produire sur une lointaine planète. Nous n'en serions guère plus conscients.

Et pourtant, en dépit de notre vision obscurcie, nous parvenons parfois à reconnaître la vérité de cet aveuglement spirituel. C'est cette demi-lucidité qui a inspiré un écrivain éclairé, Ralph Waldo Emerson, lorsqu'il fait allusion au germe d'un grand espoir, « que nous ne possédons pas encore en nous-mêmes, bien que nous sachions déjà que nous sommes bien plus que cela ».

Soyons clairs, cependant. Nul d'entre nous n'accepterait de vivre à partir d'un Soi qui choisirait notre destin à notre place, à partir de ce que nous avons été. Tant que ce type de Soi demeurera le guide de notre conscience, nous serons coupés de la sagesse qui nous attend au fond de nous-mêmes. Mais aujourd'hui, nous avons pris les premières mesures qui nous permettront de mobiliser la puissance dont nous avons besoin pour revendiquer notre place dans la vraie vie. Commençons par la nouvelle connaissance de soi ; à partir de là, telle la rose d'été libérée de son bouton printanier, surgit la force de la conviction dont nous aurons besoin pour progresser et réussir notre propre éveil.

Nous avons appris que notre vraie nature n'était pas une ligne tracée sur un plan horizontal, où l'accès à ce que nous pourrions devenir dépendra de ce que nous savons déjà. La vérité est bien différente. Nous sommes au fond de nous-mêmes des créatures venues des étoiles, des êtres dont la nature céleste n'est pas seulement née de la lumière, mais encore destinée à vivre sans entraves.

C'est justement cet être encore caché, ce Soi, qui nous fait signe d'entrer dans une existence plus vaste. Et bien que le murmure de son message soit souvent noyé dans le tintamarre de toutes les voix qui nous rabâchent que nous avons besoin de ceci ou cela, nous pourrons l'entendre en prêtant l'oreille : *lorsque nous commençons à nous sentir petits, c'est seulement parce que nous nous identifions inconsciemment avec les petites choses de la vie*. Apprendre à nous libérer pour vivre au présent consiste à comprendre que nous nous accrochons à ce qui nous limite afin de pouvoir délibérément nous arracher de ces entraves.

Le mot du maître

Q : Lorsque je lis ou lorsque je consacre du temps à réfléchir à la vérité, j'ai l'impression que rien au monde ne peut m'abattre, que j'ai conquis tout ce qui avait pu m'attrister un moment plus tôt. Pourriez-vous m'expliquer ce sentiment ?

R : *En présence d'un message immense, tous les autres messages, qui remplissent entièrement notre esprit, reculent et se contractent. Ainsi, ils cessent d'occuper une place qui n'est pas la leur. Car en présence d'un message immense, nous sommes rachetés de tout ce qui était petit, banal et absurde.*

MAURICE NICOLL

Q : Pourquoi ai-je l'impression que la vie m'entraîne dans deux directions opposées ? D'un côté, je souhaite vivre une existence libérée du passé ; mais de l'autre, je suis en général prisonnier d'un courant souterrain qui ne veut pas me lâcher ! J'aurais vraiment besoin d'encouragement.

R : *Le grand architecte de l'univers a conçu et produit un être doté de deux natures, la visible et l'invisible. Dieu a créé l'être humain, a fait surgir son corps de la matière, l'a animé de son propre esprit. [...] Par conséquent, un nouvel univers est né, petit et grand à la fois. Dieu a placé ce croyant « hybride » sur Terre, afin qu'il contemple le monde visible et soit initié à l'invisible, qu'il règne sur les créatures terrestres et qu'il obéisse aux ordres d'en haut. Il a créé un être à la fois terrestre et céleste, vulnérable et immortel, visible et invisible, à mi-chemin entre la grandeur et le néant, chair et esprit à la fois, [...] un animal en route vers une autre patrie, et, ce qui représente pour nous le plus grand mystère, un être façonné à l'image de Dieu par sa simple soumission à la volonté divine.*

GRÉGOIRE DE NAZIANZE

Récapitulation des points principaux

1. Nous devrions cesser d'attendre un bonheur futur afin d'apprendre ce que signifie le moment présent. Car toutes les formes de bonheur momentané ne sont autres que des nuages aux brillantes couleurs, brièvement enflammés par les rayons du crépuscule. Dès que nous déciderons de nous éveiller à notre véritable Soi, nous comprendrons le vrai bonheur qui attend ceux dont la quête a déjà commencé.
2. Tout comme l'écho d'une voix qui hurle « Silence ! » est incapable de se faire entendre au cœur du vacarme ou de modifier la rudesse de son propre ton, le Soi qui réagit de manière négative à des conditions indésirables est incapable de changer quoi que ce soit à l'expérience désagréable contre laquelle il proteste.
3. Ce n'est pas la condition indésirable qui nous agace. C'est que nous sommes involontairement prisonniers des pensées et sentiments que suscite habituellement notre situation. Pour vivre un renouveau et connaître enfin le présent, nous devons apprendre à considérer notre vie depuis la partie de nous-mêmes qui connaît notre véritable nature et sait qu'elle n'a pas été créée pour la servitude.
4. Chaque leçon apprise, chaque vérité intemporelle glanée par un vécu dont nous nous serions passés confirment un grand secret inconnu des masses : à savoir que l'univers a dû participer à notre transformation. En serait-il autrement, aucun des éléments nécessaires n'auraient été en place pour nous enseigner une leçon aussi parfaite. Là, nous avons la preuve de ce que la nouvelle physique révèle aujourd'hui. Notre vie est au centre d'un univers qui accomplit une révolution autour d'elle. Et à cette merveilleuse découverte vient s'en greffer une autre : cela s'applique non seulement à notre vie, mais encore à toutes les autres. *Chacun de nous vit au cœur de cet immense noyau autour duquel tout le reste tourne, pour l'éternité.* Le plus tôt nous nous éveillerons à ce message – nous sommes la cause de notre création –, le plus tôt nous laisserons s'évaporer les conflits qui détruisent notre monde épuisé.

5. Si nous devons rêver, essayons de rechercher la vie au-delà de nous-mêmes, car qui désire ce qu'il connaît déjà, ou qu'il imagine sous des formes issues de phantasmes fatigués ? Mais attention ! C'est l'inconnu que notre désir secret appelle, trop distant et trop sombre pour être visible, mais plus près de nous que la lumière même au sein de laquelle nous vivons.

Chapitre trois

Les secrets libérateurs de votre spiritualité

Lorsqu'il y a plusieurs siècles William Shakespeare écrivit les paroles désormais célèbres de Hamlet, « Être ou ne pas être, voilà la question », il effleura une corde sensible de la psyché humaine. Quiconque entend ce vers encore aujourd'hui est instinctivement porté à l'introspection. Il est possible que la question « Être ou ne pas être » ait conservé sa jeunesse en raison non de son sens littéral, mais plutôt de ce qu'elle implique sur le plan spirituel. Ce que le vers ne précise pas de manière explicite, mais qui est néanmoins entendu, c'est qu'être ou ne pas être ne relève pas de notre volonté. Nous sommes des créatures conscientes, que nous le voulions ou non.

Autrement dit, il ne nous est pas donné de choisir si oui ou non nous désirons être des êtres conscients. La conscience est offerte à tous les êtres dotés d'une vie organique sur la planète. À des niveaux inférieurs, nous comprenons que toutes les créatures – du poisson à l'insecte – expriment leur degré de conscience. Jusqu'aux végétaux qui possèdent une certaine conscience, comme le prouve leur activité phototropique. Ce degré, encore très simple, fait appel à la conscience de l'environnement et à la capacité de réagir à ses changements. Mais la conscience des humains est d'un tout autre ordre. Elle nous habite à un degré bien plus profond que celui que la plupart d'entre nous ont osé explorer jusqu'ici.

Voyez-vous, la question n'est pas de savoir si nous avons ou non une simple conscience du monde qui nous entoure. Ce degré de conscience est un acquis. La vraie question, pour ceux d'entre nous qui souhaitent vivre une liberté inconditionnelle, est celle-ci : dans lequel des nombreux mondes de la conscience qui coexistent en nous souhaitons-nous vivre ?

Si cette idée est nouvelle pour vous, prenez un moment pour l'explorer. Vous ne le regretterez pas, car voici un fait incontournable de l'existence : *je suis*, même si ce que je suis à ce moment précis n'est pas ce que j'aimerais être. Notre conscience de nous-mêmes ressemble à un ballon de plage que nous essayerions par tous les moyens de maintenir sous l'eau. En vain. Chaque fois que nous le lâchons, il remonte en surface. Bonne nouvelle toutefois : nous n'aurons plus à faire de compromis avec notre Soi une fois que nous aurons compris certaines vérités à notre sujet, par exemple celles dont nous allons parler dans ce chapitre.

Contrairement aux créatures inférieures, qui ne sont pas conscientes de leur nature et qui ne peuvent donc pas choisir un monde de conscience différent de celui auquel les limite cette nature, nous, les êtres humains, sommes uniques : nous avons été créés pour être conscients de nous-mêmes.

En termes spirituels, cela signifie que nous pouvons avoir conscience du nombre infini de qualités qui forment notre cœur, notre âme et notre esprit. Mais ce n'est pas tout. Dans notre caractère unique est aussi contenu un cadeau encore plus précieux. Nous pouvons, naturellement, explorer la contrée inconnue que représente notre conscience. Mais nous avons aussi la possibilité de choisir à quel niveau de cette conscience nous voulons vivre. Contrairement aux autres créatures, nous seuls pouvons décider de cela et, à partir de là, résider dans la réalité de nous-mêmes vers laquelle nous nous sentons attirés. Si l'idée vous surprend, soyez les bienvenus dans le monde merveilleux de la connaissance de soi ! Étudions de plus près notre unique cadeau.

Ce degré supérieur de conscience nous permet de ne faire qu'un avec tout ce qui existe dans le royaume de la création, un peu comme notre esprit a été conçu de manière à connaître le contenu de ses propres pensées. Voici quelques preuves à l'appui.

Nous connaissons tous ce sentiment de ne faire qu'un avec ce qui nous entoure, lorsque nous sommes émus jusqu'au tréfond de nous-mêmes par un paysage merveilleux. Le soleil se couche et les nuages s'enflamment, notre cœur se serre d'émotion à la vue du feu multicolore qui se répand sur le ciel couleur de saphir et nous nous sentons gagnés par notre appartenance à ce décor. Qui ne s'est jamais senti transporté dans un état intemporel à la contemplation d'un ciel parsemé d'étoiles scintillantes ? Mais tandis que notre âme s'émeut de ce qu'elle voit, elle ne fait qu'effleurer la surface du trésor qui nous attend si nous approfondissons notre étude de nous-mêmes.

Une nouvelle vie vous attend à un degré supérieur de conscience

Lorsque Jésus dit à ses disciples : « Le royaume de mon père possède de nombreuses demeures », il faisait plus que leur enseigner des principes ésotériques sur leur être encore inexploré. Pour ceux qui l'écoutaient attentivement, ses paroles étaient une invitation : « Choisissez la demeure du cœur ou de l'esprit dans laquelle vous aimeriez habiter. À quel degré de conscience aimeriez-vous exister ? » Ici aussi, notre expérience confirme l'extraordinaire potentiel spirituel de notre prise de conscience.

Nous avons tous vagabondé parmi les nombreuses « demeures » qui constituent le monde de nos pensées et sentiments. Chaque jour, nous y entrons et en sortons un nombre incalculable de fois. Pour ne vous donner qu'un exemple, il y a le refuge des pensées pleines de fierté que nous entretenons sur notre Soi et la manière dont on devrait nous traiter. Dans l'aile gauche se trouvent les sentiments sulfureux qui naissent lorsque notre entourage – même les connaissances les plus superficielles – ne se montre pas à la hauteur de nos attentes. Et, si nous poursuivons la métaphore, à l'étage inférieur nous trouvons les voisins, soit les émotions négatives qui nous aveuglent aux conséquences de nos actes irréfléchis ainsi que les sentiments qui nous murmurent de blâmer les autres lorsque surgissent les problèmes nés de nos idées préconçues et souvent erronées.

Tant que nous habiterons les étages inférieurs de la demeure des pensées et sentiments, en identifiant inconsciemment notre Soi aux aspects mesquins de notre petite vie, nous resterons prisonniers d'une vision imparfaite. Mais il existe d'autres endroits, des niveaux plus élevés que celui-là, au sein du même royaume intérieur, là où nous pourrons nous libérer des entraves qui ralentissent notre progression.

Par exemple, nous pourrions vivre dans le « château des idées nobles » sur notre degré supérieur de conscience. Ces notions qui nous éclairent, ainsi que les émotions sublimes qu'elles éveillent, nous expliquent la nature des pensées défaitistes qui essaient de nous attirer dans leur piège. Ces idées libératrices sont au premier plan de l'énergie nouvelle qui se déverse en nous lorsque nous quittons un petit monde limité pour franchir le seuil des grands espaces de notre vraie nature. C'est ainsi que nous effectuons le premier pas vers la libération et la vie au présent.

Lorsque nous essayons de distinguer le domaine invisible des pensées et sentiments qui nous habitent, nous finissons par voir un monde constitué de nombreux niveaux différents, des niveaux dans les niveaux, etc., un peu comme une maison à trois étages et dont chacun raconterait une histoire. Dans cet exemple, nous pourrions comparer les pièces supérieures pleines de lumière à des pensées brillantes et édifiantes. Les états négatifs, en revanche, vivent au sous-sol, soit un lieu dépourvu de toute lumière à l'exception de la lueur rouge que produit la chaudière. Cette analogie très simple nous permet de comprendre que chaque étage de la maison dans laquelle nous vivons reflète et projette le type d'environnement que nous trouvons ici.

Lorsque nous parlons ainsi de « mondes dans des mondes », une notion surgit : celle de l'échelle. L'idée que ces mondes sont à l'échelle les uns des autres est une autre notion importante qu'il faut absolument saisir. Vous serez donc soulagé d'apprendre que vous en savez déjà plus à ce sujet que vous le croyez ! Par exemple, imaginez un centimètre sur un mètre à ruban d'un mètre. Ce centimètre représente la fraction du ruban à mesurer qui le contient, soit un centième de mètre.

Il existe un autre genre d'échelle que nous pourrions étudier : par exemple, le fait que la structure et le mouvement des atomes dans une molécule sont une réplique miniature de notre système solaire, assorti de toutes les planètes en révolution. Pourtant, ces deux expressions très différentes de la même réalité – un système solaire dont les parties constituantes forment une version miniaturisée de lui-même – partagent un même ordre de grandeur, qu'il nous faut comprendre si nous voulons découvrir la vraie nature de notre Soi originel.

Si nous comparons la durée de vie très brève des atomes qui constituent les molécules à celle des planètes, il est évident que notre système solaire paraît éternel. Pourtant, à leur échelle, ces corps célestes qui se promènent dans l'espace ont une existence relativement limitée lorsqu'on la compare à celle du vide incommensurable au sein duquel ils évoluent. C'est cette dernière idée qui nous fournit l'indice crucial, car le plus petit se trouve toujours à l'intérieur du plus grand et ce principe s'applique tout aussi bien au temps et à l'éternité. Tout ce qui est créé dans le temps, tous les mondes matériels, visibles ou non, y compris l'univers des pensées et des sentiments, vivent à l'intérieur du présent intemporel, soit le décor éternel et invisible du temporel. Nous étudierons de manière plus approfondie ce principe et cette promesse au chapitre suivant.

Le bonheur, l'amour, la paix, la compassion et la satisfaction sont des états intemporels du présent. À l'origine, ils n'ont aucune forme, aucun début, aucune fin. Ces forces de la lumière vivante existent en elles-mêmes et n'ont aucune cause, sinon leur source céleste, un peu comme le soleil existe autrement que comme lumière donneuse de vie qui rayonne depuis la surface du noyau d'hydrogène. Mais pour le moment, nous acceptons surtout des idées reçues à propos de ces degrés supérieurs de conscience. Par l'entremise d'idées populaires et d'images acceptées par la société, nous recherchons l'épanouissement durable que ces forces célestes ont seules le pouvoir de nous offrir. Malheureusement, cela revient à considérer une montre comme la gardienne de l'éternité ! Aussi, nous confondons des sensations fugitives avec la vraie vie. Et c'est là que nous devenons des dupes. Car non seulement la profondeur et l'amplitude de ces sensations autogénérées se limitent au monde banal des idées toutes faites, mais encore, en nous identifiant à elles, nous acceptons volontairement de vivre une petite vie, dans un monde mesquin.

La première étape de notre libération consistera à nous éveiller au destin de notre création. J'ai vu des bernaches se jeter contre une clôture métallique de 1,50 m de hauteur, pour essayer de sortir de l'enclos dans lequel elles s'étaient précipitées un moment plus tôt, par exemple lorsque mon épouse essaie de les éloigner de ses plates-bandes fleuries. Ces malheureuses créatures oublient qu'elles ont des ailes. Nous aussi, nous avons oublié une vérité universelle : nous avons été créés pour vivre en liberté inconditionnelle. Mais nous l'avons oublié et nous continuons de nous précipiter contre la vie, dans le vain espoir de découvrir ce que nous ne découvrirons qu'en nous souvenant consciemment de notre vraie nature.

Libérez-vous du faux Soi

À certains égards, le travail de libération et de découverte de notre vraie nature est fort simple. Pour cartographier le cours d'une rivière inconnue ou l'étendue d'une forêt encore inexplorée, il faut pénétrer dans cette *terra incognita*. Ne serait-il pas ridicule d'entendre deux personnes se quereller à propos de l'écosystème d'une vallée lointaine – les formes de vie qui y habitent ou qui ne peuvent y prospérer – si aucune des deux n'a encore osé y mettre le pied ! Et pourtant, c'est la situation dans laquelle nous nous trouvons aujourd'hui lorsque nous essayons de comprendre les degrés supérieurs de notre conscience spirituelle. Les chrétiens discutent avec les bouddhistes, les hindous se méfient des musulmans, les musulmans se battent contre les juifs... On mène des guerres que d'aucuns qualifient de saintes ! Et les querelles continuent, car elles sont sans issue autre que la tragédie. Dieu a-t-il un visage, plusieurs visages ou pas de visage du tout ? Dis-moi le mot de passe, avec l'accent qui convient, et je t'appellerai « mon frère ». Donnez une mauvaise réponse et nous savons ce qui vous arrivera. On méprise son voisin, on s'efforce de le détruire au nom d'un Dieu qui, professe-t-on pourtant, est amour. Ce n'est pas ainsi que cela devrait être. Et pourquoi donc cela ne pourrait-il pas changer ?

Nous sommes créés, chacun de nous, pour découvrir la vérité sur nous-mêmes à l'intérieur de nous-mêmes. Nous n'avons nul besoin d'une autorité supérieure. Notre vie, soit toutes nos relations révélées en ce moment présent, constitue le terrain que nous devons labourer. Ce sol, rendu réceptif par une humiliation consciente, doit recevoir les graines de nos intentions : être bons et loyaux les uns envers les autres, renoncer à notre égoïsme, accepter de bon gré les leçons de vie dont nous avons besoin pour croître. Ce sont là les étapes de l'épanouissement de soi, les expériences dont nous avons appris la leçon et que nous avons laissées en arrière. Les petits soucis qui parsèment notre vie conditionnée nous dissimulent toutes ces découvertes et nous empêchent de renouer une relation individuelle avec la lumière vivante. Que faut-il donc faire pour assouplir ce sol durci, afin que la vérité fleurisse en nous ?

Nous devons apprendre à être nous-mêmes, admettre qu'il est totalement futile de nous détourner de l'éveil au moment où notre vie s'épanouit dans le présent. Les idées qui suivent vous aideront à comprendre ce principe intemporel et notre désir de le mettre en œuvre.

Le moment présent ne fait qu'un avec la conscience que nous en avons, exactement comme un miroir et l'objet qu'il réfléchit envoient la même image dans l'œil de celui qui les contemple. Ruminez un peu cette notion. Ajoutez-y l'idée que nous vivons toujours dans le présent, à travers lequel notre époque passe sans modifier son caractère éternel, et vous parviendrez à une révélation cruciale. Tout ce que nous avons besoin de savoir sur nous-mêmes est déjà à notre portée, aujourd'hui même, dans le moment présent, dans la sérénité de notre conscience qui est le décor éternel des passages de la vie.

Cependant, avant de vivre la vérité de ce degré supérieur de conscience, avant d'être assez forts pour comprendre le secret de la réalité, une petite voix nous demande d'être nous-mêmes, dans le moment présent. Pour cela, nous devons apprendre à nous libérer des éléments de notre nature qui ne se satisfont pas entièrement de ce qui est. Après tout, n'avons-nous pas l'impression d'être constamment en train de lutter pour modifier ce qui, selon nous, n'est pas à la hauteur de nos aspirations ? Cela nous conduit à un exercice particulier, conçu pour nous aider à nous libérer des nombreux sentiments illusoires sur notre nature, qui s'emparent de nous lorsque nous commençons à juger de manière négative un événement indésirable. Qu'entendons-nous par « sentiments illusoires sur notre nature » ? Tout d'abord, il nous faut examiner sous un angle plus large la nature du personnage que nous avons créé ; ensuite, nous verrons en détail ce que nous pourrions faire pour nous en débarrasser.

Imaginez qu'un éclair de colère vous traverse. Cette chaleur, née d'un conflit, se propage dans votre système psychique, vous ressentez naturellement cette perturbation dans tout votre être. Mais à ce stade, cette onde brûlante n'accompagne que la conscience très faible, bien que de plus en plus puissante, d'un état de turbulence. Un millième de seconde plus tard, votre esprit a accepté cette onde de choc, lui a donné un nom familier, extrait de la liste de vos expériences passées d'états semblables.

Par exemple, vous souvenez-vous d'avoir entendu en vous quelque chose comme : « Oh, non ! Ça suffit comme ça ! » Peut-être regardez-vous à ce moment-là l'élu ou l'élue de votre cœur et, dans ses yeux, vous distinguez soudain une flamme. Mais ce n'est pas parce que cette personne a son regard tourné vers nous. À ce moment précis, nous vivons le présent tels que nous sommes, mais nous ne sommes pas vraiment présents ! Nous sommes repartis vers le passé, balayés par une onde de douleur émotionnelle, car nous associons les instants malheureux de notre vie à celui qui se déroule devant nous. Par conséquent, nous ne vivons pas dans le présent ; nous revivons ce que nous étions à un moment du passé et c'est de notre identification inconsciente avec ce flot familier de sensations négatives que naît un sentiment illusoire du soi. Dans cet état du Soi, toutes sortes de réactions fugitives nous commandent. Qui n'a jamais souhaité pouvoir ravaler des mots ou des actes cruels, inspirés par ce Soi illusoire, qui, tout en s'enflammant littéralement, rend les autres responsables de sa propre douleur ?

Ce que nous souhaitons apprendre de drames de ce genre, c'est que le sentiment illusoire du Soi ne se joue pas de nous sans raison. C'est notre esprit même qui engendre cette raison en mobilisant inconsciemment de vieilles images négatives, extraites d'un recoin sombre de notre passé, images auxquelles il s'identifie aussitôt. Si nous parvenons à comprendre que tout ce que le Soi illusoire fait pour se protéger de la douleur ne sert en réalité qu'à l'aggraver, si cette douleur nous semble de plus en plus réelle, alors nous admettrons que la seule solution consiste à le faire disparaître.

Chaque fois que vous intercepterez une pensée du genre « je ressens de l'anxiété », « j'ai peur », « je perds la tête », « je n'en peux plus » ou « j'ai mal », la *première* étape consiste à prendre conscience de vous-même. Cela vous permettra de vous extraire de l'humeur noire qui s'efforce de masquer votre identité. Au lieu de vous laisser emporter par toutes les raisons qui, selon vous, justifient les cris, pleurs et grincements de dents, essayez au contraire de vous réfugier dans le moment présent. Puis, sachant que votre état négatif est en train d'essayer de vous submerger, de vous inciter à vous identifier à lui, efforcez-vous consciemment de tout rejeter de votre déclaration négative, à l'exception de *je suis*.

Autrement dit, libérez-vous de la définition sombre de vous-même qui est en train de vous envelopper. Demeurez au présent, nimbé de la lumière de votre conscience et éveillez-vous tranquillement à votre identité. Restez immobile, observez ce qui se passe en vous. Soyez le nouveau « vous » qui voit le moment tel qu'il est, au lieu de se laisser berner par le Soi illusoire qui aimerait bien continuer à vous voler votre vie !

En étant conscient des pensées et sentiments troublés qui vous traversent, vous détenez le pouvoir de tenir à distance les influences néfastes qui vous emprisonnent. Leur but est de vous apprendre à vous définir en vous identifiant à leur énergie ténébreuse et nuisible. Votre but à vous consiste à vous souvenir que votre être véritable ne doit pas demeurer prisonnier du carcan des pensées et sentiments obscurs, pas plus que la lumière produite par une ampoule ne demeure confinée par le verre qui l'entoure.

Comme c'est le cas de tous les exercices spirituels, ceux-là exigent beaucoup de persistance et d'acharnement. Les états sombres qui nous affligent ne renonceront pas facilement à leur prééminence dans notre âme. En dépit des revers inéluctables, ne renoncez pas. Si vous vous retrouvez prisonnier du petit recoin sombre, souvenez-vous que votre désir le plus cher est d'être vous-même dans le présent. Rejetez les limites et les prisons, perdez-vous dans l'immensité du présent, où tout ne fait qu'un. C'est la tâche qui vous incombe. La vérité fera le reste.

Découvrez la richesse d'un nouveau départ

Nous aimerions vivre une nouvelle vie ; dans notre esprit, nous nous imaginons en train de recouvrer le droit de vivre sans limites, de nous libérer de relations destructrices, d'abandonner les pensées et sentiments négatifs. Et voilà le nœud du problème. Nous en parlons, nous allons jusqu'à planifier notre nouveau départ, nous prévoyons de prendre des mesures, *lorsque les choses s'arrangeront...* Cela ne va pas plus loin. Nous rêvons, mais nous n'agissons que rarement. Nous ne nous éveillons pas à la seule vérité cruciale pour quiconque souhaite prendre un nouveau départ : *c'est maintenant ou jamais !*

Si vous souhaitez sincèrement changer votre vie, demain n'existe pas. C'est là où la vie se renouvelle perpétuellement que nous pouvons espérer repartir à zéro. Mais avant que nous discutions de cela, vous devez comprendre une idée peut-être difficile à admettre : les nouveaux départs, quels qu'ils soient, les seuls possibles, doivent s'ancrer dans la réalité, mais sans pour autant être inféodés à un endroit ou à un moment.

Voilà qui peut sembler quelque peu confus de prime abord, mais en faisant appel à notre expérience personnelle, nous en confirmerons le bien-fondé. Nous avons tous ressenti l'espoir engendré par le début d'une relation ou par un changement de profession. Mais nous savons que, dans le meilleur des cas, ces moments de notre vie ressemblent davantage au décollage fulgurant d'une fusée qu'à la lumière perpétuelle d'une étoile à l'horizon. Une fois la flamme éteinte, nous revenons au point de départ, nous nous efforçons de modifier encore la situation et c'est ce que nous appelons un nouveau départ.

Tant que nous considérerons une personne ou un moment comme ce point de départ, chaque tentative se soldera par un échec. Ce qui est véritablement nouveau n'est ni personnel, ni matériel, ni temporel. Il n'est assorti d'aucune condition. Sinon, nous nous bercerons d'illusions, ces créations du désir qui s'efforce d'éteindre ses propres feux. Et c'est là justement que le bât blesse : notre désir d'un nouveau départ, aussi plein de promesses soit-il, est incapable de nous conduire vers une nouvelle vie. Nous en arrivons ici à une leçon cruciale.

Ce ne sont pas des braises mourantes de notre ancienne vie que surgira la flamme d'une vie nouvelle. Le terrain secret d'où naîtront les conditions favorables à un nouveau départ doit être sans rapport avec le temps passé. Il ne peut y avoir de début qu'après une fin. Naturellement, cette leçon nous rappelle la légende du phénix, qui naît des cendres complètement éteintes, soit une image universelle qui nous fait comprendre que la vraie vie ne peut en aucun cas être une continuation de ce qui était. Les mots ne suffisent pas à décrire l'importance de cette découverte : nous devons perdre tout ce qui était avant de posséder ce qui est. Mais il nous est possible d'appliquer cette idée à notre vie de tous les jours.

En effet, il ne suffit pas de planifier un nouveau départ. Il faut le vivre. Il faut agir dans le présent, en commençant par éclairer notre vie de notre nouvelle lucidité. Voici ce que cela signifie en termes concrets.

Le nouveau départ commencera seulement lorsque notre vieux Soi aura disparu, lorsque ce que nous étions sera mort. Bien que cette idée vénérable puisse être exprimée en termes très variés, elle aboutit cependant à la même action : pour repartir à zéro, nous devons accepter d'acquitter un prix spirituel, celui de nous libérer des pensées que nous transportons avec nous d'un moment à l'autre. Pour nous faciliter la tâche, nous devons comprendre que notre habitude de revivre et ressasser des états mentaux et émotionnels, bien qu'elle nous procure du réconfort, nous coûtera notre chance de vivre dans le renouveau de notre véritable Soi, de sa nature à la fois paisible et puissante.

Tourner délibérément le dos au passé est une condition essentielle pour retrouver notre vraie nature. Mais le Soi illusoire ne se laissera pas facilement supplanter. Même s'il affirme le contraire, sa nature ténébreuse abhorre la lumière du présent, car il est incapable de pénétrer dans sa nouveauté. Comment le pourrait-il ? On pourrait tout aussi facilement essayer de recouvrir la couronne du soleil ! Cette machine infernale ne se reconnaît elle-même qu'en appelant ses propres images des expériences du passé. Mais dans le présent vivant, il n'y a de place ni pour les images éculées des gloires passées ni pour les illusions d'une lumière future. Il n'y a que l'esprit de la nouvelle vie.

En abandonnant le vieux Soi pour entrer dans le présent, nous l'entendrons hurler désespérément : « Mais tu ne peux pas vivre sans moi ! Qui s'occupera de toi, qui veillera à ton confort sinon moi ? » Il sera alors nécessaire d'apprendre à répondre à cet esprit retors, car il est l'ennemi de tout ce qui est frais, pur, neuf. Voici une réponse que vous pourriez retenir. Faites envoyer par votre cœur lucide ce message à l'adversaire trompeur de tous les nouveaux départs :

« Tu ne peux me donner ce dont j'ai besoin. Ce que j'aimerais voir, tu ne peux pas me le montrer. Ce que j'espère être, tu ne peux pas m'aider à le devenir. Tais-toi. Va-t-en et ne reviens plus. »

Ensuite, en demeurant à l'écoute de vous-même, continuez votre progression vers le présent, le nouveau, l'inconnu. Souvenez-vous d'une seule chose : en tenant toujours devant vous la lumière de votre nouvelle intuition, vous écarterez les ombres qui pourraient vous barrer la route. Que cette vérité soit votre guide ! Puissiez-vous vous libérer facilement de tout ce qui était, en faveur de tout ce qui est nouveau, tout ce qui est vrai, tout ce qui est vous !

Ouvrez votre cœur à la liberté spirituelle : cinq exercices

Visualisez une grosse exploitation minière. À l'entrée, devant le bureau du comptable, les ouvriers font la queue pour recevoir leur salaire bimensuel. Parmi eux se trouve un homme en train de rêver aux dollars qu'il aura en main quelques instants plus tard. Il imagine tout ce qu'il pourra s'offrir avec cet argent. Les trésors et plaisirs ainsi évoqués rendent l'attente presque insupportable. Enfin, son tour arrive. Il avance et tend la main.

Mais le comptable lève les yeux de ses registres, lui sourit et explique avec courtoisie : « Je suis navré, monsieur, mais peut-être avez-vous oublié le règlement. Cette queue est réservée aux personnes qui ont travaillé durant les deux dernières semaines. Ce n'est pas votre cas. Vous n'imaginez sûrement pas que vous serez payé pour un travail que vous n'avez pas effectué, n'est-ce pas ? »

La morale de cette histoire est simple : la liberté que notre cœur appelle n'existe pas. En d'autres termes, il est impossible d'admirer un panorama saisissant lorsqu'on demeure au fond de la vallée. Il faut grimper jusqu'au sommet de la montagne la plus proche. Naturellement, la vue est gratuite, mais seulement pour ceux qui ont fait l'effort d'atteindre l'endroit d'où l'on peut en profiter.

Vous trouverez dans ce chapitre cinq exercices qui vous aideront à vivre au présent tout en atteignant des degrés toujours plus élevés de liberté personnelle. Notez cependant que cet ensemble d'exercices spirituels nécessite une explication particulière. Ils vous seront utiles pour apprendre à vivre au présent, certes, mais chacun d'eux est également conçu pour servir de départ à une séance de méditation.

La liste qui suit vous permettra de comprendre la nature de celui qui a découvert ce que nous cherchons tous : la liberté inconditionnelle. Naturellement, de tels individus sont rares. Mais l'examen de ces déclarations spirituelles, en toute candeur, à partir de notre vécu, démontre notre besoin de réaliser leurs promesses. Pour que vos exercices soient vraiment efficaces, commencez par méditer sur chacune des déclarations. Laissez la liberté qu'elle illustre éveiller en vous le souvenir de cette partie de vous-même qui connaît sa vérité intrinsèque. Puis, consciemment, comparez votre degré actuel de liberté avec celui des exemples sur lesquels vous venez de méditer. Ainsi, vous comprendrez que chaque déclaration contient le germe d'un exercice spirituel, qui n'est destiné qu'à vous, que vous seul pouvez lire, en fonction de votre condition actuelle.

Voici maintenant un second point important. Notre intention, dans cet exercice, n'est pas de créer quelques images agréables de nous-mêmes, que nous pourrons ensuite reproduire dans la vie quotidienne. Toutes les formes d'imitations sont néfastes sur le plan spirituel. Nous devrions également éviter de porter un jugement sur nous-mêmes, de constater notre incompétence spirituelle avec une satisfaction amère. Notre seul but est d'élever notre conscience de nous-mêmes. C'est tout. Cette conscience, cette lumière vivante en nous, qui œuvre de concert avec la connaissance de soi qu'elle a contribué à faire naître, non seulement révèle les obstacles à notre liberté spirituelle, mais encore nous aide à les éliminer.

1. Nous jouirons de la liberté spirituelle lorsque nous n'aurons plus envie de porter un jugement sur les autres, quelles que soient leurs transgressions (ou, tout au moins, ce que nous percevons comme des transgressions). Nous sommes conscients de vivre dans un univers intelligent, dont le système judiciaire infaillible s'assure que nul acte – bon ou mauvais – ne manque d'être sanctionné.
   Exercice : Apprenez ce que signifie abandonner ceux qui seraient portés à vous blesser par des mots ou des actes aux fruits amers qu'ils ont eux-mêmes créés. Débarrassez-vous du juge qui vit en vous en admettant qu'il est impossible de punir sans être puni soi-même.

2. Nous jouirons de la liberté spirituelle lorsque nous ne ressentirons plus jamais d'envie à l'égard d'un être humain, envie suscitée par ses possessions terrestres ou sa situation. Nous comprendrons qu'en dépit des apparences, la qualité de notre vécu n'est pas fonction de ce que nous pouvons posséder, mais seulement des pensées auxquelles nous avons abandonné la possession de notre cœur.
   Exercice : Débarrassez-vous de toute partie de vous-même qui aimerait vous comparer aux autres. Ce côté sombre se moque du prix que vous payez pour assouvir son appétit insatiable d'insatisfaction. Nourrissez au contraire votre vraie nature en vous rappelant que vous êtes unique et incomparable.
3. Nous jouirons de la liberté spirituelle lorsque nous ne nous laisserons plus jamais entraîner dans une course folle, sans nous préoccuper de l'enjeu. Nous savons que, quel que soit l'endroit où nous sommes, quelles que soient les circonstances, nous nous trouvons toujours là où nous devrions être, au bon moment, pour enrichir notre relation avec le divin.
   Exercice: Ce n'est pas ce que nous nous dépêchons de gagner qui fait de nous de vrais gagnants. La véritable victoire consiste à découvrir que, pour obtenir un résultat positif, nous ne pouvons nous abandonner à des états négatifs. Dépistez et rejetez tous les sentiments qui essaient de vous harceler. Comprenez que votre vraie nature vous attend déjà en vous-même. Pourquoi vous dépêcher ?
4. Nous jouirons de la liberté spirituelle lorsque nous aurons nettoyé notre être de la plus petite particule de haine ou de rancœur à l'égard d'autrui, quelle que soit la manière dont cette personne a pu nous traiter par le passé. Nous avons constaté qu'en donnant à un état sombre de haine ou de rancœur une raison d'exister nous lui offrons par la même occasion un refuge en nous-mêmes.
   Exercice: Une fois que nous aurons compris que tout ce à quoi nous résistons dans la vie devient de plus en plus lourd, au fur et à mesure que notre obsession s'accroît, nous constaterons que ce ne sont pas nos ennemis qui croulent sous le poids de nos sentiments

hostiles. Au contraire, c'est nous qui sommes prisonniers des ténèbres de notre Soi illusoire. Pour être libres, il nous suffit de comprendre que c'est la haine qui hait.

5. Nous jouirons de la liberté spirituelle lorsque nous ne craindrons plus d'assumer les moments durant lesquels la vie nous offre plus d'épreuves que jamais. Nous comprendrons la loi spirituelle selon laquelle on ne peut nous imposer un fardeau sans nous donner en même temps la force nécessaire pour l'assumer.
   Exercice : Acceptez toujours une responsabilité accrue lorsque la situation exige que vous mettiez votre force spirituelle à l'épreuve. Tout comme il faut accepter le risque de l'échec pour apprendre à vivre sans peur, il faut aussi vouloir mettre à l'épreuve ce que nous considérons comme nos limites afin de mobiliser en nous la source d'un pouvoir qui étirera ces limites jusqu'à l'infini.

Les cinq dernières leçons de ce chapitre font appel à des notions plus complexes, rarement débattues parmi les non-initiés au travail spirituel, en raison de leur profond effet médicinal sur l'âme. Mais j'ai décidé d'inclure leurs enseignements non seulement parce qu'ils résument très bien la « recette » de la liberté spirituelle, mais encore parce qu'ils illustrent la nécessité de cette guérison. Accueillez ces vérités dans votre esprit et voyez leur vision rafraîchissante de la réalité vous conduire vers la liberté inconditionnelle à laquelle votre cœur aspire.

1. Pour comprendre la récompense que le monde peut nous offrir, il suffit d'ouvrir les yeux. Car si nous acceptions de compter le nombre de fois où nous sommes tombés dans le piège d'une promesse de victoire, nous admettrions que l'espoir de découvrir un trésor dans un panier sans fond est vain.
2. Si les conventions sociales ordinaires, assorties de tous leurs artifices et de toute leur hypocrisie, ont une utilité, c'est uniquement celle-ci : un heureux jour viendra où nous comprendrons que nous avons consacré notre vie à converser avec des voleurs, à faire des

projets avec des menteurs, à écouter les promesses de gens qui, en majorité, sont incapables d'un seul acte d'intégrité. Le jour de cet éveil marquera aussi notre abandon d'un monde corrompu, bourré de mendiants déguisés en rois.

3. Des millions de gens sacrifient leur vie pour un moment de plaisir ou une promesse d'approbation. Ils sacrifient leur bonheur dans l'espoir que le pouvoir qu'ils acquerront ainsi leur permettra d'embellir le monde malgré toute la laideur que leurs agissements mêmes engendrent. Parfois, quelques personnes intègres et sincères sacrifient aussi leur vie, mais de manière altruiste, en suivant tout naturellement la voie de ceux qui les ont précédées vers la lumière.
4. Pour quiconque écoute vraiment, il n'y a qu'une question et une réponse : attendrons-nous patiemment le moment d'une relation avec la réalité et l'éternité où, grâce à l'intervention fugitive d'une puissance intemporelle, toute notre vie changera ? Car nous gaspillons de précieux instants à pourchasser le plaisir d'un moment imaginaire qui ne fait que reculer hors de notre portée lorsque nous croyons enfin l'atteindre.
5. Il est impossible de rejeter le monde parce qu'on a peur de le parcourir seul. Cette frayeur injustifiée a un prix invisible. Non seulement serons-nous contraints de cheminer en compagnie de pleutres, mais encore perdrons-nous toute chance de jouir un jour de la compagnie du divin.

Le mot du maître

Q : Pourquoi devrions-nous consacrer autant de temps à la recherche de la liberté spirituelle ? Après tout, je connais au moins une religion traditionnelle qui affirme que tout ce dont nous avons besoin pour être libres, c'est d'affirmer : « Je crois en Toi. »

R : *On dit que Dieu a créé l'homme libre. C'est une mauvaise interprétation. Personne, pas même notre affectueux Créateur, ne peut donner la liberté. En revanche, Dieu a donné ce qu'il a pu aux hommes, à savoir la possibilité* *de se libérer. Le désir de liberté existe au plus profond de chaque humain digne de ce nom. Mais les gens sont stupides, ils croient qu'ils peuvent jouir de la liberté extérieure sans liberté intérieure. Tous nos maux proviennent de cette stupidité. À moins que nous ne désirions dès le départ nous libérer de nos ennemis intérieurs, notre situation ne pourra qu'empirer.*

G. I. GURDJIEFF

Q: Je commence à comprendre, en étudiant la spiritualité, que j'ai besoin d'une éducation entièrement nouvelle. Par où devrais-je commencer?

R: *La véritable éducation consiste à apprendre à penser et non à apprendre ce qu'il faut penser. Celui qui sait penser, qui possède cette capacité, est un humain véritablement libre, car il est libre des dogmes, des superstitions et des rituels. Et à partir de ce moment-là, il est capable de découvrir ce qu'est véritablement la religion.*

KRISHNAMURTI

Récapitulation des points principaux

1. Vous possédez en vous un secret qui ne peut être écrasé sous une pensée obscure ou un sentiment de frayeur, pas plus qu'une vague mugissante ne peut étouffer la lumière d'un rayon de soleil.

2. La vie n'a jamais été capable de nous blesser. C'est nous qui, ignorant la réalité, attribuons sans réfléchir un poids à des événements dépourvus de substance. Malheureusement, cela nous cause des souffrances proportionnelles à notre imagination.

3. Notre liberté se trouve dans ce que nous sommes et non dans ce que nous possédons. En l'absence de cette liberté, tout autre sentiment de liberté est factice, car il devient un geôlier déguisé en libérateur.

4. Nous ne sommes prisonniers que des relations nées de notre conviction inconsciente et trompeuse que ce que nous sommes – les êtres de Dieu – ne suffit pas. Voici deux lois spirituelles qui peuvent nous aider à nous libérer:

- Il y a toujours quelque part un nouveau panorama à contempler, qui nous offre une liberté instantanée. Ces hauteurs nouvelles que nous gravissons vivent secrètement au fond de nous.
- Le bonheur se présente à ceux qui croient en son existence. Il ne peut y avoir de résultat négatif à tout effort positif que nous accomplissons pour dépasser nos limites.

5. La crainte que nous ressentons – crainte de l'échec, crainte de devoir recommencer notre vie – surgit parce que notre vieille nature aimerait nous faire croire que la voie vers le nouveau Soi exige que nous revenions sur nos pas afin de recommencer à zéro, sur un terrain vierge. Mais voici la vérité : aucun chemin, passé ou futur, ne conduit à un véritable renouveau. L'origine secrète de tous les nouveaux départs se trouve déjà en nous, là où nous sommes, à chaque moment où nous oserons abandonner ce que nous avons été.

Chapitre quatre

Libérez-vous et jouissez de la paix du présent

Avez-vous déjà regardé une mère câliner son nouveau-né, une biche encourager son faon à se tenir debout sur ses petites pattes flageolantes ? Avez-vous humé l'air purifié par la violence de l'orage ? Avez-vous été ému par le balancement de la cime des arbres dans la brise estivale ? Votre imagination a-t-elle été stimulée par la vue d'un littoral découpé ? Avez-vous eu envie de méditer sur la lumière d'un crépuscule aux teintes paradisiaques ?

Des moments comme ceux-là possèdent une tranquillité hors du temps, bien qu'ils soient fermement ancrés dans le présent. Si vous avez eu la chance d'intercepter leurs secrets, vous saurez que les mots ne suffisent pas pour les décrire. Les raisons en sont légion, mais une seule importe véritablement : le silence de cette quiétude est d'or, parce qu'il n'est pas corrompu ; la tranquillité dont il nous imprègne nous encourage à connaître un présent vital, hors de portée du temps. C'est dans ce but que j'aimerais vous initier à la quiétude vivante qui occupe le fond de votre cœur. Ensemble, nous explorerons la vie de cette réalité nouvelle. Que nos découvertes se révèlent être le terrain invisible qui donne naissance au véritable Soi !

Il y a quelque temps, la mode était aux livres illustrés d'images « magiques ». Chaque volume regorgeait de dessins colorés, produits par ordinateur. Les éditeurs affirmaient qu'un lecteur initié serait capable de découvrir des images secrètes, dissimulées dans les illustrations magiques. C'était en quelque sorte une chasse visuelle au trésor ! Qui pouvait résister ?

Au premier coup d'œil, les images n'étaient qu'un mélange bariolé, une collision de couleurs et de formes qui auraient pu naître sous les crayons d'un enfant énervé. Cependant, en examinant les illustrations sous un certain angle, en modifiant l'inclinaison de la page, on finissait par voir surgir une magnifique image en trois dimensions, tandis que le méli-mélo de couleurs s'estompait à l'arrière-plan. Toute la magie consistait à jeter un nouveau regard sur l'image.

Il suffisait donc d'apprendre à voir au-delà du chaos des couleurs pour voir des images extraordinaires surgir des profondeurs de l'illustration. C'est exactement de cette manière que la paix du moment présent, dans laquelle vit le royaume des cieux, existe au cœur du chaos de notre vie quotidienne.

Cette paix intégrale, que nous pourrions aussi appeler quiétude ou silence, est ce que notre cœur recherche. Elle ne contient ni stress ni chagrin. Et pourtant, bien que la plupart des gens affirment vouloir trouver le moyen de communiquer avec la vie dans ce calme profond, peu d'entre eux parviennent à le percevoir. Pourquoi ? Parce que, curieusement, nous ne voyons pas la quiétude, bien qu'elle serve de décor à chaque mouvement. Cette vérité fascinante mérite une explication détaillée.

Naturellement, nous voyons les objets ou les créatures, nous pouvons même imaginer le trajet de nos pensées et sentiments sur la toile de fond de la vie. Mais nous demeurons aveugles à un état bien particulier. En l'absence du décor invisible de la quiétude parfaite, de la paix à l'état pur, nous ne verrions absolument rien !

Prenons une simple analogie. Nous allons au cinéma, en tenant pour acquis que le film se déroulera sur un écran. Mais s'il n'y avait pas d'écran pour servir de toile de fond, la projection n'aurait aucun sens. Nous ne verrions guère qu'un tourbillon de lumières indéchiffrables, de silhouettes fantomatiques sur les murs des coulisses.

Il est facile de comprendre ici que l'écran et sa blancheur tranquille servent de décor silencieux aux images projetées. La présence de l'écran est essentielle pour nous permettre de distinguer toute l'activité qui se déroule devant nous. En l'absence de l'écran, le mouvement des images est dépourvu de contexte et ne sert absolument à rien. Transposons maintenant cette image à une vérité parallèle. Tout comme l'écran nous permet de regarder un film d'action, la tranquillité invisible sert de révélateur au mouvement perpétuel de la vie.

En gardant cette idée à l'esprit, pourrions-nous admettre que nous ignorions jusqu'ici la présence de cette quiétude dans laquelle nous nous agitons ? Qui plus est, comprenons-nous que ce n'est pas parce qu'elle est absente que nous ne la distinguons pas ? Car elle existe bel et bien ! C'est nous, au contraire, qui sommes absents de sa présence immuable ! Voilà une découverte qui nous sera utile, car elle nous permettra de comprendre que tout ce qui touche notre relation avec la paix fondamentale dépend de l'endroit sur lequel porte notre attention, entre un moment et le suivant.

Un rapide survol de ces notions nous révélera beaucoup sur l'état de notre conscience. À ce stade de croissance spirituelle, nous sommes entraînés dans les hauts et les bas de la vie. Nous sommes tellement distraits par ces cycles de plaisir et de douleur qu'il nous arrive bien rarement de prendre conscience du royaume de quiétude qui sert de toile de fond à notre vie et aux événements quotidiens. Certes, ces notions sont déjà importantes dans l'absolu, mais elles nous inspirent en outre l'idée d'un autre mode de vie. Et, comme nous le verrons, cette sagesse est justement la voix de la paix que nous cherchons.

Leçons de sagesse

Tout au long des âges de l'humanité, les sages ont fait allusion à un royaume invisible, un lieu hors du temps que l'on appelle le présent. À ceux qui le découvrent, il offre une paix qui dépasse tout entendement. Mais ce que notre étude devrait vous révéler, c'est que ce royaume n'est pas vraiment caché. Sa réalité tranquille nous attend juste au coin de notre entendement actuel. C'est la raison pour laquelle rien ne peut remplacer la connaissance de soi. Si vous ne deviez retenir qu'une grande leçon spirituelle, ce serait celle-ci: dans notre vie, nous voyons tout à travers les yeux de notre entendement et c'est de l'acuité de notre vue que dépend la profondeur de notre être.

Heureusement, comme l'explique le court texte qui suit, nous ne sommes pas seuls pour réaliser notre potentiel. Afin de rapprocher notre Soi actuel de celui que nous aimerions devenir, nous possédons un ami secret, dont la seule tâche est notre épanouissement spirituel.

Pour franchir le gouffre

Rien ne peut naître en dehors de sa quiétude,
L'esprit tranquille le voit et transporte en lui-même
Un vœu ailé, une chrysalide sombre qui attend
La lumière vivante pour rompre son silence…
La voilà qui nous fait signe ! Sautons le pas !
Franchissons le gouffre entre ceci…
Et cela.

Que signifient ces deux derniers vers; « Franchissons le gouffre entre ceci… Et cela » ? Ici, nous trouvons l'idée d'une nouvelle nature capable de vaincre l'illusion des contraires. Nous apprenons qu'il existe un entendement capable de vivre au-dessus de l'abîme qui sépare le chagrin et la joie, le succès et l'échec, voire la vie et la mort. Ces deux vers nous parlent également d'un certain degré de conscience qui est emporté dans le mouvement de la vie: une nature non éclairée qui se balance involontairement de haut en bas, entre plaisir et douleur, entre *ceci* et *cela*.

Les véritables traditions spirituelles, occidentales ou orientales, ont toujours enseigné cette connaissance intérieure. Elle est chrétienne, bouddhiste, musulmane, hindoue et hébraïque, tout à la fois. Des vérités telles que celle-ci nous aident à comprendre que, pour être libres, nous devrions transcender les contraires qui nous empêchent de distinguer le royaume de la paix en nous liant au monde des sensations passagères. Et enfin, il serait peut-être utile de mentionner ici qu'un verset de la Bible attribué au Christ, « Chaque fois que deux ou plus d'entre vous serez réunis en mon nom, avec vous je serai », fait directement allusion à ce nouvel entendement et à la grâce qu'il a inspirée.

Poursuivons notre interprétation du poème. La liberté de ces contraires, des attributs inconscients de l'âme qui s'opposent les uns aux autres, commence par la notion selon laquelle en chacun de nous vit une obscure chrysalide, une sorte de graine céleste qui représente notre âme à l'état brut. Pour que nous réalisions notre immense potentiel, elle doit s'éveiller à la vie et ne faire qu'un avec la paix. Lorsque la lumière perce sa coquille, lorsque l'esprit vivant met en mouvement la vie latente qu'elle contient, notre âme autrefois divisée, en conflit avec elle-même, se transforme en un tout unifié. C'est le moment de notre renaissance, car une fois les deux antagonistes réconciliés, nous pourrons enfin franchir le gouffre.

Ainsi, notre nouvel être transcende les contraires et prend la place qui lui est naturelle dans le monde de la quiétude hors du temps, d'où naissent tous les contraires. Chankara, illustre philosophe indien, fondateur de l'école de l'Advaita Vedanta, confirme notre découverte depuis le fond des âges : « Cet état de silence est celui de la paix intégrale, grâce à laquelle l'intellect cesse de se préoccuper de l'irréel. Dans ce silence, la grande âme qui sait et qui ne fait qu'un avec Brahma [le Créateur] vit dans le bonheur parfait, pour l'éternité. »

Il est donc absolument vital que nous comprenions enfin notre vraie nature.

La liberté personnelle est inaccessible à quiconque ignore la vérité de la paix spirituelle. La liberté et la paix entretiennent la même relation qu'un cerf-volant avec la brise. La première ne peut s'élever du sol en l'absence de la seconde. Avant de pouvoir nous élever au-dessus des conflits et illusions de ce monde, nous devons prendre conscience de la paix qui réside en nous. À partir de là, nous bâtirons notre liberté. N'oublions jamais cette relation. Sinon, nous passerons notre vie à rechercher la liberté à travers notre relation avec des éléments matériels. C'est ainsi que nous bâtirons autour de nous la prison dont nous nous efforcerons ensuite de nous évader !

L'étape suivante consiste tout naturellement à déterminer sur quoi est bâtie notre paix. Si ses fondements sont constitués d'éléments matériels, la paix que nous croyons avoir gagnée n'est, dans le meilleur des cas, que transitoire. Par éléments matériels, j'entends les objets, les gens, les lieux, les conditions, soit ce que la plupart recherchent pour estomper un peu la douleur que l'absence de paix suscite en leur cœur. Pour passer à l'étape suivante de notre croissance spirituelle, nous devons admettre que la quête de ces éléments, voire leur possession, ne nous a jamais apporté autre chose qu'un sentiment fugace d'épanouissement. Comme nous l'apprendrons, la paix et la liberté qu'elle entraîne naissent de la quiétude qui révèle leur véritable nature en nous. C'est pourquoi la paix n'appartient à aucune culture, tradition, race, croyance ou religion. Sa nature transcende tous les obstacles temporels et toutes les formes du temps.

Nul ne peut convaincre autrui de l'existence de cette paix parfaite. Ce genre de tentative non seulement finit par blesser l'âme de l'autre, mais encore prouve que celui qui ressent le besoin d'imposer sa version de la paix n'est en fait lui-même que le jouet d'une illusion. Méfions-nous donc des gens qui démontrent leur agressivité au nom de la paix ! Voici quelques bonnes raisons :

- La paix véritable n'est ni le corollaire d'un pacte quelconque ni l'aboutissement d'un plan.
- La véritable paix ne peut s'épanouir dans l'opposition ou le conflit. Il est impossible de fabriquer sa bonté, même à l'aide des éléments les plus coûteux.
- La véritable paix ne se définit pas par la possession d'une personne, d'un groupe ou d'un organisme. Nul ne peut offrir la paix à autrui. Ceux qui s'en disent les gardiens ne font qu'empêcher les autres de la découvrir.

Laissez entrer en vous la véritable paix

Pour connaître la paix, il faut comprendre sa nature. Voici donc quelques faits à ce propos : la paix se définit comme le rayonnement naturel d'un présent vivant. Elle ne fait qu'une avec la Lumière du présent éternel, exactement comme les émanations de lumière et de chaleur sont indissociables du soleil qui les produit. Si notre intuition nous permet de comprendre la vérité de ces idées, une question nous vient tout naturellement à l'esprit : si cette paix que nous recherchons est liée au moment parfait que nous appelons le présent, qu'est-ce qui nous empêche de vivre sa promesse en nous ?

Un simple coup d'œil nous permet de constater que notre Soi actuel est régi par un principe mental et émotionnel dont l'unique préoccupation semble être de ressasser ce qui était, tout en appelant ce qui sera. Cette activité consiste à peser le passé et à planifier l'avenir. Sans répit. Autrement dit, notre vie est constituée de ce que nous appelons nous-mêmes des bons et des mauvais jours. Naturellement, nous les jugeons ainsi en fonction de la manière dont ils répondent à nos attentes. Les « bons » jours sont ceux durant lesquels nous obtenons ce que nous désirons. Et vice-versa.

Toutefois, nous constatons souvent que même durant les bons jours, les jours qui se caractérisent par un sentiment de satisfaction, cette paix assortie de conditions se retourne curieusement contre nous. Le triomphe devient une forme de tourment, car nous craignons de perdre ce que nous venons justement de gagner. Et voici notre paix qui s'effiloche une fois de plus ! Cet état d'esprit ne nous apportera rien et ses promesses sont vides de substance.

Nous possédons une autre nature, cependant, une nature dont la vie se déroule dans la paix. Cet autre Soi et le présent qui constitue son décor sont la véritable vie. Nulle paix ne peut survivre si cette relation se rompt. Toute autre forme de paix n'est que son expression terrestre. En bref, sans ordre, il n'y a pas de paix. L'ordre, c'est la paix.

La paix transcende le degré inférieur de notre esprit, qui ne la connaît que par ce qu'il croit être ses qualités. L'esprit endormi, qui ne comprend pas la réalité de quiétude dont nous avons parlé plus haut, cette quiétude qui vit, ne peut concevoir comment ses propres images de victoire lui refusent justement la victoire qu'il désire si ardemment. Pour connaître la paix et ses promesses, nous devons nous libérer de ce Soi endormi, qui s'efforce constamment de réunir les morceaux d'un casse-tête qui, selon lui, représente la paix, dans le vain espoir qu'ils resteront en place.

Nous avons tous essayé de rapprocher des morceaux de paix, en nous efforçant de nous débarrasser de nos soucis. Nous avons tous tenu ce genre de dialogue avec nous-mêmes : « J'espère bien que ce changement de profession améliorera ma situation ! Peut-être qu'en fréquentant plus assidûment le gymnase je ferai d'intéressantes rencontres ! Dès que j'aurai réussi à lui faire comprendre mon point de vue… »

Ce genre d'expression devient le leitmotiv et la source de notre confiance en nous. Mais ce dialogue sans fin ne traduit que la peur du vide intérieur. Et plus nous essayons de jongler avec ces morceaux de paix, plus notre anxiété croît. Nous nous efforçons désespérément d'empêcher la vie d'éparpiller une fois de plus les morceaux. Même lorsque cette démarche s'est révélée totalement vaine, nous nous accrochons à l'espoir que, *la prochaine fois*, tout sera différent. Nous devons absolument comprendre que rien ne changera tant que nous n'aurons pas décidé de changer, de nous transformer de fond en comble.

Pour réussir, nous avons besoin d'une nouvelle interprétation de notre être. Car la paix que nous recherchons réside déjà en nous. Elle ne se trouve nulle part ailleurs et cela doit nous mener à l'étape suivante. Pour entrer dans le monde silencieux de la paix, il nous faut apprendre le secret de la quiétude, découvrir notre être et y entrer.

Cette tâche n'est pas facile. Quiconque vous affirme le contraire est un menteur. Mais nous ne sommes pas seuls, nous avons un guide. Devant nous chemine la Lumière de la vérité. Elle nous montre la voie en nous ouvrant les yeux, en nous faisant comprendre, entre autres, que la paix que nous recherchons n'est pas l'une de nos créations. Nous apprenons que l'admission dans son royaume céleste ne peut avoir lieu que par consentement mutuel, bien que cette paix n'accepte que ses propres conditions. C'est elle qui prend les décisions. Mais même si nous n'avons aucun mot à dire, nous finissons par lui être reconnaissants d'avoir élaboré des lois aussi rigides, car si notre âme accepte de se plier aux conditions de la paix éternelle, non seulement vivra-t-elle dans la révélation de la paix divine, mais encore jouira-t-elle à tout jamais de la présence de la providence dans son cœur.

Découvrez la nature impersonnelle de la véritable paix

Aussi surprenant que cela paraisse de prime abord, nous allons découvrir qu'une paix personnelle, subjective, est facilement menacée. Par exemple, vous êtes tranquillement installé devant la télévision, un bon repas sur les genoux. Immanquablement, le téléphone sonne ou un voisin vient faire un tour. Votre tranquillité personnelle a été remplacée par une rancœur sourde contre la personne qui vous a dérangé.

Que dire du sentiment de paix suscité par une nouvelle relation sentimentale ? Jusqu'au jour où nous comprenons qu'au lieu d'être secourus par le nouvel élu de notre cœur, nous avons été kidnappés. Nous servons d'otage à quelqu'un qui menace de nous quitter. Enfin, souvenez-vous de ce merveilleux sentiment d'épanouissement qui nous habite lorsque nous achetons quelque chose que nous désirions depuis longtemps. Malheureusement, lorsque la facture arrive, elle est douloureuse !

Il n'y a rien de répréhensible à ressentir une satisfaction dans ce genre de situation. Mais vous devez absolument comprendre que ces moments nous procurent une paix personnelle qui ne dure pas. En essayant de créer notre petit paradis personnalisé, nous ne tardons pas à constater qu'en réalité il est éphémère.

Ce qui nous conduit à une leçon clé : la véritable paix est impersonnelle. Sa réalité n'est pas en notre possession. Quiconque s'efforce de l'enfermer sème en soi le conflit et le chagrin. C'est pourquoi chaque fois que des gens essaient de fabriquer la paix dans le monde, ils ne parviennent qu'à envenimer les guerres.

Ne voyons-nous pas que, dans tous les cas, c'est la paix même qui s'efforce d'instruire l'âme ? Mais en dépit de ses qualités pédagogiques, elle ne réussit à donner la sagesse qu'à un très petit nombre de gens. Beaucoup d'entre nous, d'ailleurs, la rejettent inconsciemment. Il est triste de constater que nous ne sommes pas encore mûrs pour apprendre. Un bref survol des erreurs que nous commettons à cet égard vous aidera à mieux comprendre ce que la lumière fait pour nous.

Par exemple, prenons les petits tracas qui, quotidiennement, viennent nous empoisonner la vie. Nous résistons de tout notre être à leur emprise. Pourtant, chacun d'eux a une leçon dont nous avons bien besoin. L'ennui, c'est que nous refusons inconsciemment d'écouter les enseignements silencieux de la paix, parce que le bruit de notre réaction nous empêche d'entendre sa voix. En y réfléchissant bien, nous comprenons que toutes ces leçons se résument à une instruction : « Stop ! Ce que tu fais ne marche pas. Réveille-toi ! Tu t'y prends mal. Cette douleur ne peut que te porter préjudice ! »

Si nous parvenions à écouter dans le silence, nous apprendrions que la paix est un don offert à chacun de nous. Mais seulement si nous abandonnons l'idée qu'il est en notre pouvoir de posséder la paix, comme nous aimerions posséder toutes sortes d'objets.

Il est impossible d'enfermer la paix. Au contraire, laissons-la vagabonder en comprenant que ce n'est qu'en nous égarant volontairement dans son jardin que nous connaîtrons une quiétude sans limite. Et une fois que nous la sentirons en nous, nous ne pourrons plus la perdre. Si vous avez un jour l'impression de l'avoir perdue, cherchez en vous-même ce qui vous a incité à l'abandonner ou à la rejeter. Découvrez les pensées sombres et les sentiments conflictuels qui sont à l'origine de votre perte.

Si ces idées vous intriguent, posez-vous une question cruciale : « Quelle est l'importance de la paix à mes yeux ? » Vous ne pourrez jamais vous poser cette question trop souvent et voici pourquoi : chaque fois que vous vous interrogerez sérieusement sur la place de la paix dans votre vie, sur sa valeur, sur son sens, cela signifiera que vous vous interrogez sur *ce qui compte vraiment dans votre vie*. Examinez la liste familière qui suit. Vous comprendrez où je veux en venir.

Est-ce le pouvoir qui compte dans ma vie ? Ai-je envie de prendre ma vie et mes désirs en charge ? La plupart d'entre nous répondront par l'affirmative.

Est-ce la richesse ? La fortune et les possessions matérielles me donneront-elles un sentiment de sécurité dans un monde qui semble sur le point de plonger dans la folie ? La majorité des gens répondront : « Naturellement ! C'est logique. Et pourquoi pas ? »

Ne serait-il pas merveilleux de nouer une relation sérieuse, qui éloignerait la solitude, guérirait mon amour-propre ? « Oui, oui, oui ! »

Le résultat est double. Tout d'abord, notre nature actuelle continue de s'investir dans diverses relations qui, dans le meilleur des cas, ne nous offrent qu'une paix instable. Ensuite, c'est quelque chose que nous refusons d'admettre. Ainsi, nous nous détournons de la lumière qui éclaire la vérité de nos désirs fugitifs, insatisfaits. Nous nous asservissons à la volonté d'un soi trompeur, qui est persuadé que doter des déchets d'un nouvel emballage est synonyme de s'en débarrasser. Nous devrions donc affiner notre capacité intérieure de discernement, comme l'illustre le paragraphe ci-dessous.

Un peu d'introspection nous révélera très vite qu'il se trouve en nous quelque chose qui s'efforce de voler notre paix. *Nous sommes victimes d'un voleur de paix.* Notre tâche consistera à le démasquer.

Pour trouver une solution à nos problèmes, n'avons-nous pas toujours tenu pour acquis que ce voleur de paix n'était autre que la personne qui nous a fait du tort, le souvenir qui nous blesse encore, l'espoir brisé par un coup du sort ? Naturellement, c'est ainsi que nous interprétons la situation. Nous sommes des êtres humains, nous cherchons à nouer des relations et, lorsque la forme ou la dynamique de ces relations change, comme cela est inéluctable, nous imputons la perte de notre paix à ces changements. Cela est aussi efficace que nous mettre à pester contre le vent qui nous a volé notre chapeau.

Ce n'est pas parce que nous avons l'impression d'avoir perdu la paix ou sa compagne, la liberté, qu'elles nous ont abandonnés. En réalité, ce sentiment de perte est inévitable si nous acceptons l'idée que les limites de notre nature actuelle nous empêchent d'aller plus loin. La paix dont nous déplorons la perte n'est qu'une sensation trompeuse, car nous l'associons à des formes fugitives, pensées ou sentiments. C'est ce Soi inférieur, et rien d'autre, qui nous a volé notre paix.

La prochaine fois qu'un sentiment négatif essaiera de troubler votre bonheur, refusez de vous laisser importuner par son message, même s'il vous semble important. Au lieu de sombrer dans un gouffre insondable, au lieu de courir après quelque chose qui, selon vous, devrait vous aider à résoudre le problème, souvenez-vous de cette vérité : *la paix que vous recherchez est elle-même à votre recherche*. Coûte que coûte, trouvez-la !

Un bon point de départ consiste à faire preuve de vigilance pour prendre le voleur de paix en flagrant délit.

Qu'entend-on par là ?

Comme nous l'avons vu plus haut, vous devrez prendre conscience de la quiétude qui vit au plus profond de vous-même. Détectez les pensées et sentiments qui essaient de vous attirer dans le monde bruyant du tracas et de la peur. Si vous vous taisez face à eux, ils n'auront pas le choix. Eux aussi devront pénétrer avec vous dans le silence. C'est ainsi que vous parviendrez à renverser la situation. Les voleurs de paix ne peuvent vivre avec nous, au sein de la lumière projetée par le degré supérieur de conscience. Là, il n'y a qu'une seule place : la nôtre. Chaque fois que vous y penserez, faites cet exercice. Posez votre livre et essayez d'entendre votre silence.

Entraînez-vous à la présence de la quiétude

Regardez au-delà des formes familières qui vous entourent, y compris les réactions qu'elles suscitent en vous. Ne *pensez* pas au moment qui se déroule : *voyez-le*. Soyez toute la vie dans la perfection du moment présent. C'est là que réside l'esprit de la paix. Abandonnez les détails, le sentiment trop familier du Soi que vous découvrirez habituellement dans les aspects banals de la vie. Prenez conscience de vos pensées au lieu de vous perdre en elles. Ce qu'elles vous murmurent à ce moment précis est justement en train de se produire.

Pendant que vous faites ces efforts intérieurs, vous entendrez, sans nul doute, vos pensées vous répéter que ce que vous leur demandez est impossible, que vous ne pouvez pas espérer réussir à séparer l'obscurité de la lumière. Pour les désamorcer, posez-vous seulement une question : que pensez-vous que les chauves-souris diraient au fermier qui s'apprêterait à démolir la vieille grange sombre et inutile dans laquelle elles vivent ?

La nature ne sait pas qu'elle est captive, pas plus qu'une bernache accrochée à la coque d'un navire ne sait qu'elle est incapable de se déplacer d'une coque à l'autre. Sa nature ténébreuse est peut-être capable d'imaginer la liberté, mais non de la vivre. En revanche, notre véritable nature a été créée pour nous faire connaître les mouvements de l'éternité à l'intérieur d'elle-même. C'est pourquoi nous devons découvrir ce qui, en nous, nous a ancrés dans le temps et l'espace. L'analogie qui suit, une situation très simple que nous avons tous vécue, vous aidera peut-être à mieux comprendre notre situation actuelle ainsi que les moyens d'échapper à son emprise.

Imaginez-vous assis dans votre salle de séjour. Le soleil déverse ses rayons par la fenêtre. En suspension dans la lumière, vous distinguez des millions de particules de poussière. Visualisez cette scène. Devant vous, tout autour de vous, la pièce est irradiée de lumière. Vous voyez parfaitement les millions de particules. Gardez cette image à l'esprit. Que se passe-t-il ?

Votre attention est attirée par la danse de ces particules, bien que la lumière qui vous permet de les voir demeure, elle, invisible, car elle est en mouvement à l'intérieur d'elle-même. Voici pourquoi : nous ne voyons pas la lumière qui nous permet de distinguer les particules, parce que notre nature actuelle ne se définit qu'en fonction de relations qui reposent sur la « particularité ». Elle est seulement consciente de formes individuelles et non de leur relation avec le tout. Les limites inhérentes à ce type de Soi sont à l'origine de nos déboires. Mais tout peut changer.

En chacun de nous, dans notre cœur et notre esprit, vit un type spécial de lumière. En vérité, il est partout. Si nous reprenons l'analogie des particules de poussière, nous pouvons imaginer qu'elles représentent nos pensées suspendues dans un espace silencieux et lumineux. Mais, comme nous sommes en train de l'apprendre, au lieu de voir cette merveilleuse quiétude, dont la source révèle le mouvement des pensées et sentiments fugaces, nous nous accrochons à chacune des pensées qui la traversent. Pourquoi ? Nous sommes maintenant bien près de découvrir une grande vérité.

Ce n'est pas le véritable vous, le véritable « je » qui se raccroche à ces pensées. C'est le voleur de votre paix ! C'est notre nature divisée. Elle ne peut vivre sans cette forme familière du Soi qui se matérialise chaque fois qu'elle examine et évalue les images dans lesquelles elle essaie de se plonger. Cette nature voleuse, qui s'empare de notre paix, mise sur notre aveuglement, sur notre incompréhension du fait que la paix ne se divise pas. Autrement dit, la quiétude que nous recherchons ne se trouve pas dans le Soi temporaire que nous associons au mouvement de l'une de ces particules en suspension. Cette notion n'est pas difficile à saisir. Prenons un nouvel exemple.

L'une des raisons pour lesquelles les états négatifs se faufilent si facilement en nous pour voler notre paix est que nous avons été conditionnés pour croire qu'ils ont le droit de nous punir. Je vais vous donner une preuve de cette ténébreuse conspiration.

Vous êtes confortablement installé dans un bon restaurant, vous êtes élégamment vêtu, vous avez suffisamment d'argent pour vous offrir un repas gourmet, seul ou en compagnie d'amis. Pourtant, malgré tous ces éléments positifs, vous êtes exaspéré parce que le serveur tarde à vous apporter une corbeille de pain ! Aussi stupide que cela paraisse, c'est vrai : les états négatifs tels que celui-ci se faufilent subrepticement en nous pour nous dérober notre paix, cent fois par jour.

Rien ne nous oblige à les accepter en nous. Rien ne nous oblige à laisser carte blanche à ce misérable Soi qui se réjouit de les voir nous gâcher la vie.

Vous trouverez ci-après une liste qui vous aidera à emprunter la voie de la liberté spirituelle. Après avoir soigneusement étudié ces états voleurs de paix, prenez le temps de dresser votre propre liste. Ne la compliquez pas inutilement. Devenez un détective de l'âme en observant tout naturellement ce qui se passe en vous et autour de vous.

Démasquez les trois voleurs de paix

1. L'un des premiers voleurs de paix consiste à passer son temps à essayer de deviner ce que les autres pensent de nous. Pourtant, si nous sommes soucieux de l'opinion des autres, c'est parce que nous sommes persuadés qu'ils détiennent le pouvoir de nous prendre ce à quoi nous nous accrochons afin de conserver notre paix imaginaire. Libérons-nous ! Personne n'a le pouvoir de nous voler notre paix. Elle n'appartient pas aux autres, ils ne peuvent pas nous la prendre !
2. Le deuxième voleur de paix consiste à bâtir un « dossier » contre quelqu'un d'autre, pour une raison quelconque. Personne ne peut voler notre paix et il est inutile d'essayer de blâmer autrui. C'est comme si nous reprochions au soleil de nous avoir brûlés de ses rayons après que nous nous sommes endormis sur la plage. Nous perdons notre paix parce que nous nous identifions à tort avec une pensée douloureuse qui cherche à nous entraîner dans sa vie mesquine. Débarrassons-nous de la mesquinerie. Débarrassons-nous de la rancœur et laissons la paix prendre sa place.
3. Enfin et surtout, le troisième voleur de paix nous incite à nous évaluer en permanence. Vous avez sûrement remarqué qu'après une discussion vous aviez tendance, comme tout le monde, à procéder à une analyse mentale de tout ce que vous avez pu dire. Même lorsque nous nous promenons dans les allées du supermarché, nous nous comportons comme si nous étions sur scène. Débarrassez-vous de la caméra invisible. Tout ce qu'elle est capable de faire, c'est de vous rendre malheureux. Vous ne connaîtrez jamais la paix si vous passez votre temps à surveiller et à juger vos gestes et vos paroles.

Il existe d'autres voleurs de paix, par exemple lorsqu'un événement futur – favorable ou non – nous emporte dans un tourbillon de suspense ou lorsque nous comparons notre vie avec celle des autres, amis ou étrangers. Espérer trouver la paix en songeant au futur ou en nous comparant à autrui revient à attendre d'un énorme cumulus noirâtre qu'il fasse pleuvoir des rayons de soleil. À chaque instant de notre vie, nous devons être honnêtes envers nous-mêmes.

Mieux encore, pour accroître l'effet de ces leçons, prenez une feuille de papier. En haut, inscrivez : « Les voleurs de ma paix, réels et potentiels ». Puis dressez la liste des pensées, sentiments, habitudes ou convictions qui, selon vous, mériteraient d'être examinés de plus près. Ce petit travail vous aidera à exorciser les démons intérieurs qui ne cherchent qu'à vous dépouiller de votre satisfaction.

La brève anecdote qui suit a pour but de vous enseigner deux leçons spirituelles très simples, bien que cruciales, afin de vous aider à vous libérer. Lisez-la attentivement. Elle renferme le double secret de la paix et de la quiétude.

Un père amena un jour sa fillette dans une vieille forêt toute proche. Il savait que la quiétude et la beauté des troncs massifs enchanteraient l'enfant, tout comme elles l'avaient lui-même enchanté. Il ne s'était pas trompé. Elle se sentit immédiatement à l'aise parmi les profondeurs tranquilles des arbres vénérables. Pendant quelques instants, elle vécut un bonheur sans mélange. Pusi quelque chose s'infiltra dans la quiétude de la forêt.

Pendant que tous deux s'enfonçaient entre les grands arbres, le père constata que la fillette semblait de plus en plus intimidée. Lorsque le soleil se cachait derrière un nuage, une ombre immense descendait sur la forêt. De partout, des formes sombres apparaissaient devant l'enfant, comme si de longs bras essayaient de la toucher. Puis la lumière revenait et tout changeait. Ce spectacle se poursuivit un certain temps. L'état d'esprit de la fillette variait en fonction de la lumière. Les rayons du soleil éveillaient son enthousiasme, tandis que l'instant suivant, le soleil disparu, elle se sentait effrayée par les ombres menaçantes.

Le père comprit très vite que l'enfant ne possédait pas la maturité nécessaire pour conserver son équilibre spirituel malgré le changement perpétuel des conditions extérieures. Pour éviter qu'elle ne devienne trop angoissée, il la prit par la main.

« Viens, ma petite, dit-il. » Et tous deux rebroussèrent chemin vers l'endroit que le père avait choisi pour sa démonstration.

Ils marchèrent ainsi main dans la main pendant une vingtaine de minutes. Après avoir émergé de la forêt, ils escaladèrent une colline jusqu'au sommet. De là, ils eurent une vue panoramique de la grande forêt. Ils s'installèrent côte à côte sur un amas de pierres, afin d'admirer tranquillement les bois qui s'étalaient en contrebas. Quelle vue magique !

La petite fille vit que les nuages provoquaient des dizaines d'ombres mouvantes, chaque fois qu'ils se déplaçaient devant le soleil. Même lorsque les rayons caressaient la forêt, certains arbres restaient dans l'ombre. Elle vit toute la forêt et sa relation invisible avec le monde qui l'entourait. Elle comprit que nul événement ne se produit dans l'absolu. Et, surtout, de son point d'observation, elle comprit que rien de ce qui l'avait inquiétée en bas ne pourrait désormais la troubler. Elle demeura immobile. La paix revint en elle. Sa nouvelle vision de la réalité lui avait offert ce présent. À partir de ce jour-là, elle n'eut plus jamais peur d'entrer dans la forêt.

Sept idées pour vivre le véritable silence

Tous, nous possédons en nous un point d'observation tout neuf, situé en hauteur. C'est un recoin particulier de notre âme, dans lequel nous sommes en paix, quelle que soit la situation extérieure. Nous pouvons nommer cet état encore inexploré « la conscience de soi ». Au lieu de nous fondre dans les ombres mouvantes de la vie, nous pourrons, grâce à lui, découvrir une paix que nulle peur ne pourra jamais nous dérober.

Revoyons le chemin que nous venons de parcourir. Un fait doit être bien clair dans votre esprit : soit nous sommes en paix où que nous soyons – parce que cette paix nous accompagne – soit ce que nous appelons la paix n'est que le fruit d'une condition agréable qui se trouve, pour le moment, dans notre sphère d'influence. Dans des situations de ce genre, nous sentons inconsciemment que cette paix est assortie de conditions. Nous savons qu'il nous faut œuvrer pour que ces conditions demeurent.

Et, naturellement, cela signifie que nous résisterons à tout ce qui menace cet état si désirable. Vous comprenez fort bien que cette paix ne mérite pas vraiment ce nom, car elle est complice d'une situation conflictuelle de laquelle dépend son existence même !

Qu'apprenons-nous ici ? La paix véritable n'est jamais une sensation. Sa nature cachée est l'expression d'une quiétude hors du temps, un silence qui ne naît pas d'une querelle des contraires et, par conséquent, est au-dessus de tout cela. Le silence n'appartient à personne. Il ne peut être ni gagné ni perdu, ce qui signifie que ceux qui le vivent ne connaissent pas la peur.

Quel est le sens de tout cela ? Il est certes possible d'évoquer le véritable silence, mais étant donné qu'il n'a ni début ni fin, il apparaît et disparaît à son gré. Néanmoins, nous pouvons le courtiser en nous efforçant d'imprégner notre vie de la sienne. C'est pourquoi notre méditation devient une révélation si nous nous ouvrons à la vérité afin d'entendre son message.

Étudiez les sept étapes ci-après et laissez-les vous révéler où se dissimule la paix au fond de vous. Réfléchissez. Explorez ces idées et malaxez-les dans tous les sens. Bientôt, vous entendrez ce qui doit demeurer implicite.

1. Tout comme le vide véritable renferme toutes choses, le silence véritable contient l'univers. Tout ce qu'on lui offre, tout ce qu'il touche devient peu à peu silence… non par un acte de domination, mais par l'intégration pacifique d'une petite paix dans une grande.
2. Le véritable silence est une présence intérieure et non une circonstance extérieure. Sa paix n'a pas de contraire, elle n'est pas créée, ce qui signifie que rien ne peut agir contre elle ou servir à renforcer son existence.
3. Il est impossible de cultiver le silence. En revanche, nous pouvons apprendre à distinguer les conditions intérieures défavorables à sa présence ainsi que notre relation avec la paix au sein du silence. En nous libérant de ces entraves, nous parviendrons à entendre le silence que nous recherchons.

4. Le véritable silence est vide de contenu et plein de paix. Il n'y a là aucune contradiction.
5. Le véritable silence n'a pas de préférence, il ne rejette aucune condition, il ne résiste à rien, il demeure en paix.
6. Le véritable silence ne possède pas d'intelligence, telle que nous la définissons habituellement. Son intelligence est d'un tout autre ordre. Un esprit divisé est incapable de la saisir. Sa paix dépasse notre entendement.
7. Pour nous immerger dans la paix du véritable silence, nous devons accepter la solitude, dont nous avons un besoin immense, tout comme un jeune plant a besoin de tranquillité pour émerger des ténèbres de la terre et s'épanouir dans la lumière.

Que toutes les idées que nous venons d'explorer ensemble vous aident à comprendre qu'il existe un monde supérieur, le royaume paisible du présent, qui vit en vous. Laissez votre cœur vous rappeler ce que l'esprit oublie si facilement : la paix existe, c'est votre refuge, c'est ce lieu hors du temps que nous possédons tous au fond de nous, que nulle obscurité n'est capable de nous dérober. Prenez la résolution d'y passer votre temps. Préférez sa compagnie à celle d'une promesse de paix. Le bonheur rayonnera dans votre vie, désormais baignée d'une quiétude incomparable.

Le mot du maître

Q : Je vis dans un tourbillon. Je crains de ne pas avoir le temps d'apprendre tout ce dont j'aurais besoin. Je me disperse tellement, j'ai tant d'activités qui me paraissent importantes, que je ne sais pas quand serait le moment le plus opportun pour m'imprégner de ces vérités.

R : *C'est maintenant ou jamais ! Vous devez vivre au présent, vous lancer sur chaque vague, trouver votre éternité dans chaque moment.*

HENRY DAVID THOREAU

Q : J'aurais besoin d'encouragement, car, malgré tous les enseignements que j'ai reçus, je ne parviens pas à trouver la paix que je cherche. Pourquoi ?

R : *Oh, toi qui gémis dans la prison du réel, qui verse des larmes amères au pied des dieux parce que tu n'as pas encore trouvé de royaume où régner et créer, sache ceci : ce que tu cherches est déjà ici, ici ou nulle part, si seulement tu pouvais le voir !*

THOMAS CARLYLE

Récapitulation des points principaux

1. Souci, anxiété, frénésie... Aussi dangereux que puisse être ce trio infernal, tout esprit qui a retrouvé sa quiétude originelle est assez fort pour les emprisonner, les dominer, les réduire à néant. L'apprentissage de la quiétude n'est pas qu'un palliatif. Il met fin, à tout jamais, à nos tentatives d'autodestruction.

2. C'est uniquement en nous éveillant à notre propre immortalité que nous connaîtrons la liberté. Tout le reste ne sert qu'à nous bercer, à nous plonger dans un sommeil agité, tout au long du temps qui passe.

3. La peur nous attend si nous oublions que Celui qui nous a créés, lui, ne craint rien. Le véritable courage consiste à se souvenir de cette vérité et à la vivre face à la peur. Nous n'avons aucune autre raison d'avoir peur. Il n'existe aucune autre solution. C'est en comprenant cela que nous parviendrons à nous libérer.

4. Nous ne cessons pas d'exister lorsque toute pensée se tait, lorsque nous nous abandonnons aux profondeurs étoilées d'un ciel nocturne, lorsque la caresse invisible d'un amour inattendu emplit notre cœur d'une douce quiétude. Au contraire, c'est dans ces moments-là, où nous pouvons enfin oublier notre existence, que nous sommes véritablement vivants !

5. En dépit des apparences, il n'y a rien de plus important qu'être nous-mêmes, en toute quiétude.

Chapitre cinq

L'entendement de soi, baume universel

Que devrions-nous faire pour dépasser les limites de notre entendement ? Limites qui, visibles ou non, jouent un rôle dans la dose de chagrin que nous absorbons chaque jour. La réponse pourrait vous surprendre. Les enseignements de la vérité à travers les âges nous révèlent que pour atténuer nos diverses douleurs nous devrions commencer par prendre conscience de leur existence. Il nous est impossible de nous libérer de quelque chose que nous refusons de regarder en face. Ralph Waldo Emerson, grand philosophe et écrivain américain, confirme cette vérité spirituelle :

> Eu égard aux choses désagréables et redoutables, la sagesse ne consiste pas à les fuir ou à les éviter, mais, au contraire, à faire preuve de courage. Celui qui souhaite cheminer paisiblement dans la vie, connaître la sérénité, doit se forcer à agir. Il doit affronter l'objet de ses pires appréhensions et grâce à sa bravoure, la peur perdra toute raison d'être.

Quel encouragement ! Mais ces mots ne sont pas uniquement destinés à nous encourager. La promesse contenue dans ce puissant principe ne se limite pas à nous offrir le courage dont nous avons besoin, loin de là. Ces vérités nous invitent à voir notre vie à travers leurs yeux, afin d'admettre l'existence d'un cœur intrépide, libre de tout compromis. C'est une attitude de guerrier, car l'issue favorable de notre combat devient évidente à partir du moment où nous choisissons d'explorer ce que nous n'avons pas encore découvert en nous-mêmes. Mais ce n'est pas tout. Ces vérités nous font miroiter le don le plus merveilleux, non seulement la possibilité d'une vie libre, mais encore la promesse de son épanouissement. Tout ce que l'on exige de nous, à l'entrée de cet univers étincelant de promesses, c'est que nous acceptions la réalité. Voyons maintenant comment franchir un pas aussi audacieux.

Ordonnance spirituelle pour embellir votre vie

Deux hommes, qui travaillaient depuis des années dans la même entreprise et partageaient un bureau, se sont retrouvés à la cafétéria pour déjeuner, entourés d'autres employés. Pierre regarda son ami Jean fouiller dans sa serviette afin d'en extirper une petite fiole bleu vif. Depuis une dizaine de jours, il voyait régulièrement cet objet entre les mains de Jean.

Jean semblait tout content de lui. Il fredonnait en buvant une gorgée du contenu de la bouteille. Pierre le dévisagea un instant et, jugeant le moment opportun, décida de lui poser une question délicate : « Comment vas-tu ces jours-ci, Jean ? Mieux ? Tu ne m'as pas parlé de ton rendez-vous de la semaine dernière, avec ton nouveau médecin. » Pierre, craignant de paraître indiscret, s'efforça de formuler sa question avec tact, espérant que Jean lui en dirait davantage s'il ne l'interrogeait pas directement.

Jean avala sa gorgée de liquide et sourit à son collègue. « Comme tu le sais, j'avais une douleur dont je ne parvenais pas à me débarrasser. Je suis allé consulter quelques spécialistes. Mais j'ai vite constaté que ces types n'en savaient probablement pas plus que moi en médecine. » Il poursuivit tranquillement, avec une satisfaction évidente. « Puis j'ai découvert le meilleur médecin du monde, qui vit dans le même immeuble que moi ! Il a décelé immédiatement ce qui n'allait pas et tout s'est bien passé. Je n'ai pratiquement rien senti. »

« Oh, mais c'est formidable ! » s'exclama Pierre en prenant une bouchée de son sandwich. « Ce type doit être vraiment impressionnant, car c'est bien la première fois que je te vois prendre aussi religieusement un médicament. »

Pierre eut alors la surprise de voir le visage rieur de Jean redevenir sérieux.

« À vrai dire, Pierre », répliqua Jean en baissant la voix et en regardant autour de lui pour s'assurer que personne d'autre ne pouvait entendre sa confession, « je n'ai pas vraiment remarqué d'amélioration. Je souffre toujours beaucoup. »

Pierre, déconcerté, chuchota : « Mais voilà plus d'une semaine que je te vois prendre religieusement ce médicament ! » Puis il se pencha en avant pour demander à son collègue : « Mais, dis-moi, pourquoi tiens-tu absolument à avaler ce truc si ça ne te fait aucun effet ? »

Jean baissa les yeux vers le petit flacon qu'il tenait dans la main, avant de murmurer, avec un étrange sourire : « En vérité, ce médicament ne m'a pas soulagé, mais ça ne me dérange pas de continuer à le prendre. » Puis il se pencha vers son collègue et poursuivit d'un ton confidentiel : « Tu ne peux pas imaginer à quel point il a bon goût ! »

Les êtres humains sont fréquemment des modèles de stupidité. Ce n'est pas en niant l'existence d'une douleur ou en essayant de penser à autre chose que nous parviendrons à nous en débarrasser. Dans le même ordre d'idée, nous entretenons une relation identique avec nos états destructeurs. Nous avons plus tendance à nous mentir qu'à nous examiner. Au lieu de nous livrer à l'introspection nécessaire pour illuminer les recoins encore obscurs de notre conscience, nous cherchons des moyens d'échapper aux terreurs qui prolifèrent au fin fond de nous-mêmes, tels des fantômes dans une maison hantée. Pourquoi ?

N'oublions pas que notre société et notre culture nous ont conditionnés à croire qu'il est absolument vital de cacher au reste du monde ce qui « ne va pas » chez nous. Pire encore, nous devons également dissimuler ces imperfections à notre propre vue. Ces idées ne profitent qu'à la maladie qu'elles contribuent à cacher. Voici le véritable guide médical dont nous avons besoin.

Les six principes de la véritable autoguérison

Nous avons été conçus pour corriger nous-mêmes nos défauts, de sorte que chaque correction nous élève au-dessus des influences et limites néfastes qui nous ont été imposées jusqu'ici. Chaque fois que nous découvrons ce qui obscurcit notre chemin, nous nous élevons vers un terrain plus solide, plus satisfaisant, exactement comme un voyageur qui, après avoir traversé un désert brûlant, pénètre dans une région de collines verdoyantes. Même si nous ne comprenons pas exactement ce cheminement, chaque fois que nous distinguons l'un de nos défauts, c'est grâce à la lumière vivante, cette force latente qui vit en nous pour nous conduire vers la perfection, cette intelligence supérieure dont la présence nous habille de lumière. Nous découvrons alors qu'il n'y a rien de négatif à distinguer ce qui n'est pas parfait en nous. C'est justement la perfection de la lumière qui nous permet de nous voir ainsi. Mais pour cela, nous devons coopérer !

Le regretté Vernon Howard, célèbre écrivain, enseignait à ceux qui voulaient bien l'écouter que, pour distinguer la vérité dans notre vie, « le remède le plus efficace est aussi le plus amer ». Pour guérir nos blessures profondes, nous devons comprendre que l'amertume qui accompagne la découverte de soi est le prélude de la croissance spirituelle. Notre tâche consiste à être honnêtes envers nous-mêmes, aussi amers que soient les moments où nous nous voyons tels que nous sommes.

Vous trouverez ci-après six idées révélatrices. Elles portent sur des aspects de notre vie que nous aurions volontiers tendance à laisser dans l'ombre, sur lesquels nous aimerions fermer les yeux, dans le vain espoir que ce que nous ne voyons pas ne pourra pas nous blesser. Mais une fois que nous aurons compris qu'il est absolument nécessaire de vivre les yeux grands ouverts, nous constaterons que la lumière nous attend au détour du chemin.

Voici les évidences que nous refusons de regarder en face :

1. Où que nous allions, quels que soient les gens que nous rencontrons, nous sommes toujours emmêlés dans les mêmes conflits, les mêmes revers, les mêmes expériences négatives.
2. Nous reprochons aux autres de nous obliger à servir leurs intérêts ; en réalité, c'est à nous-mêmes que nous en voulons, c'est notre incapacité de dire non qui provoque notre rancœur.
3. En dépit de toute la douleur que cela nous cause ainsi qu'à d'autres, nous sommes persuadés de connaître la définition de la réussite.
4. Ce n'est pas parce que nous parvenons à dissimuler l'un de nos défauts qu'il cesse de porter préjudice à notre entourage.
5. À la solitude, nous préférons la compagnie de gens dont nous savons parfaitement qu'ils sont des menteurs et des traîtres.
6. Ce n'est pas en nous apitoyant sur notre sort que nous changerons la nature du Soi qui est la source secrète de nos larmes.

Pour une guérison rapide, étudiez ces idées afin de recevoir leur lumière compatissante en vous. Souvenez-vous que pour guérir nous devons commencer par nous voir tels que nous sommes. Tout comme l'aurore dissipe notre crainte des périls imaginaires de la nuit, la conscience de nos blessures doit précéder la guérison. Pour être libres, nous devons voir.

Voici une dernière notion très importante qui vous aidera à voyager en toute sécurité afin de découvrir les éléments inexplorés de votre personnalité.

Lorsque nous voyons en nous quelque chose de cruel, d'égoïste ou tout autre trait destructeur, nous sommes tentés de nous livrer pieds et poings liés à un état tout aussi dangereux, la condamnation de soi. La plupart des gens reconnaîtront qu'il est naturel de se juger et de se détester lorsqu'on découvre un trait de caractère négatif au fond de son cœur. Pourtant, il faut absolument éviter de tomber dans ce piège, qui nous conduit tout droit à l'automutilation. Voici comment nous y prendre.

En ces moments difficiles, il vous suffit de vous souvenir que lorsque la lumière vivante nous montre un aspect de notre personnalité, c'est parce qu'elle a déjà commencé à le modifier dans notre intérêt. Laissons-la faire ! C'est le message secret que contient l'instruction spirituelle immémoriale : « Laissons faire Dieu ! » Recueillons maintenant d'autres vérités réconfortantes.

Imaginons que vous vous blessiez au coude. Sept ans plus tard, la même douleur reparaît, au même endroit. Vous commencez également à ressentir des élancements vers l'épaule et la main. Vous soupçonnerez tout naturellement que quelque chose ne va pas, que la blessure initiale n'a jamais véritablement guéri.

Il est rare qu'une blessure aussi simple dégénère en problème physiologique complexe, pour une raison évidente : si la douleur initiale persiste, nous comprenons très vite qu'il s'agit d'un problème plus grave que nous le pensions. La plupart d'entre nous, à ce moment-là, vont consulter le médecin. C'est une question de bon sens. Mais pourquoi, justement ?

Nous savons intuitivement qu'une douleur n'est pas censée s'attarder dans notre corps. Et pourtant, que dire de la douleur qui se répand, qui atteint d'autres parties du Soi, cette douleur qui est apparue le jour où votre meilleur ami vous a trahi ? Et que dire d'autres douleurs de même origine ? Par exemple, la douleur qui a surgi en vous lorsqu'un rêve de toute une vie s'est écroulé ? L'éclair brûlant qui vous a traversé lorsque votre amour a été rejeté ou méprisé ? Pourquoi ne trouvons-nous pas étrange que ces douleurs persistent et, comme c'est souvent le cas, aillent jusqu'à s'aggraver avec le temps ?

La vraie question est double : pourquoi ces blessures mentales et émotionnelles ne cessent-elles jamais de nous faire souffrir ? Ensuite, pourquoi leur cause secrète, cette écorchure qui fait saigner notre âme, ne veut-elle pas disparaître ? Et ce n'est pas fini. Nous avons tendance à éviter, à tout prix, le risque d'une nouvelle blessure, parce que la première est encore sensible. Après tout, qui a envie de replonger indéfiniment dans le chagrin ?

Une fois que nous aurons recueilli quelques-uns des indices nécessaires, nous comprendrons qu'il n'existe qu'un seul remède à ces douleurs récurrentes. Non seulement nous n'avons pas guéri des blessures que la vie nous a infligées, alors que la guérison aurait dû se dérouler normalement, en vertu d'une loi supérieure, indépendamment de la nature psychique de la blessure, mais encore nous résistons à tout ce qui pourrait nous aider à guérir !

Écoutez bien : cette incapacité de guérir d'une blessure qui aurait dû suivre son cours naturel devrait nous inciter à comprendre que certaines forces contraires sont à l'œuvre en nous. Ce sont des forces invisibles, qui luttent contre la guérison, car il est dans leur intérêt de nous voir souffrir. Dès que nous aurons admis cela, aussi surprenante que cette idée nous paraisse, nous comprendrons qu'il est vital d'éclairer les ennemis invisibles de la guérison naturelle. Ce n'est pas seulement nécessaire, c'est indispensable pour nous permettre de vivre notre propre guérison.

Guérissez avec l'aide des puissances supérieures

Commençons par une simple illustration. Imaginez un instant la douleur familière qui s'empare de notre bouche et de notre gorge lorsque nous avalons trop rapidement une crème glacée. Vous connaissez cette pénible sensation de gel. En l'occurrence, que faites-vous ? Rien. Pourquoi ? Parce que la nature de la douleur vous incite à ne rien faire.

En effet, nous savons pertinemment que la sensation désagréable s'estompera d'elle-même dès que sa cause aura disparu. Peut-être sautillerons-nous sur place un instant, mais nous n'aurons pas l'idée de commencer à nous blâmer ou à nous haïr. Nous ne craignons pas cette douleur. Et pourtant, malgré cela, lorsque quelqu'un nous inflige une blessure, lorsque la vie nous maltraite, nous oublions cette simple sagesse. Notre douleur, au lieu de s'atténuer au fur et à mesure que la cause disparaît, persiste. Au lieu de guérir, elle est exacerbée chaque fois que nous nous remémorons le moment pénible. Pourquoi ? Que se passe-t-il en nous ? Lisez attentivement ce qui suit pour comprendre ces vérités.

Tout d'abord, comme nous le soupçonnons désormais, une force encore indécelée est à l'œuvre en nous. Elle nous empêche de nous libérer de la cause de notre douleur et, donc, ne permet pas la guérison. Comprenez-vous que certaines parties de nous-mêmes refusent de laisser se dissiper notre colère à l'encontre de quelqu'un qui nous a blessés ? Mais ce n'est pas tout !

Il nous faut également admettre que ces forces rougeoyantes aimeraient nous faire croire que c'est en nous immolant par le feu que nous éviterons les brûlures ! Mais heureusement, une fois que nous aurons percé à jour ce comportement destructeur, nous comprendrons que ces actions sont indépendantes de notre volonté. Personne ne se blesserait volontairement.

Ces forces néfastes, qui vivent en nous, font leur possible pour nous entraîner dans le brasier des blâmes et des reproches. Secrètement, elles essaient de diviser pour régner. L'importance de cette vérité spirituelle est véritalement cruciale. Mais il ne faut pas sous-estimer notre pouvoir de guérison. C'est pourquoi nous allons faire la lumière sur cette terrible supercherie.

Lorsque nous sommes plongés dans un conflit émotionnel, quelle que soit sa cause, la force néfaste qui nous habite entame sa tâche par une manœuvre de diversion, en éloignant notre conscience de la douleur que nous ressentons. Ensuite, elle nous trompe en dirigeant notre attention vers l'ennemi extérieur, la personne ou la situation qu'elle nous désigne comme responsable de notre douleur.

Chaque fois que cette force inconsciente réussit à nous diviser ainsi, il ne nous reste plus que moins de la moitié des pouvoirs nécessaires pour déclencher notre guérison. Et comme si cela ne suffisait pas, la faible lumière restante, si nécessaire à notre guérison, se trouve elle-même menacée par les réactions négatives subséquentes, qui nous incitent à nous déchaîner contre la personne ou la situation que nous jugeons responsables de notre douleur.

La prochaine fois qu'une blessure, familière ou nouvelle, vous sollicitera, éveillez-vous à vous-même et souvenez-vous d'une dernière étape cruciale : ne faites rien de plus que demeurer conscient de sa présence en vous. Ensuite, essayez de comprendre que cette douleur n'est pas vous. Au contraire, elle signifie que la partie blessée de votre être réclame la guérison que seule peut lui offrir une puissance supérieure. Votre tâche consiste uniquement à vous assurer que l'appel est entendu. Ni plus, ni moins.

Si vous acceptez de participer ainsi à votre programme de guérison, si vous acceptez de maintenir votre douleur dans la lumière de votre conscience, la guérison que vous espérez ne pourra vous être refusée. À certains égards, j'irais jusqu'à dire qu'elle s'est déjà produite. Tout ce que vous avez à faire, c'est demeurer fidèle à ce principe pendant qu'il accomplit en vous son œuvre de guérison. Le reste viendra de lui-même.

Apprenez à être plus fort que ce qui vous blesse

Q : Je sais au fond de moi-même que vous avez raison. Votre explication me paraît tout à fait sensée dans l'absolu. Mais il n'en demeure pas moins que la distance entre ce que je sais être vrai et ma capacité d'agir honnêtement est trop grande. J'ai beau essayer, je ne parviens pas à surmonter les obstacles. Qu'est-ce qui ne va pas chez moi ?

R : Nous ne réussirons à surmonter les obstacles qui surgissent dans notre vie qu'une fois que nous aurons compris leur nature. Il est possible de fendre du bois vert lorsqu'on manie correctement la hache, mais il est impossible de hacher un état négatif en menus morceaux. Quiconque s'attèle à ce genre de tâche ne fait que s'épuiser en vain.

Q : Voulez-vous dire que nous ne devrions pas lutter ? Que nous devrions laisser les pensées et sentiments négatifs faire de nous ce qu'ils veulent ?

R : Non. Il faut lutter, mais seulement au bon moment, avec les armes adéquates. Cela exige de faire appel à la lumière dont nous avons déjà parlé. Une petite explication s'impose ici pour faciliter votre compréhension de cette notion nouvelle et cruciale.

Autrefois, les généraux savaient qu'une large part de leur succès, sur le champ de bataille, dépendrait de l'endroit où se déroulerait le combat. C'est pourquoi bien des batailles ont eu comme enjeu la possession d'une hauteur. Ce principe s'applique à notre combat contre les forces négatives. Mais la hauteur que nous devons conserver ou gagner n'est ni une colline ni une forteresse en haut d'un piton rocheux. C'est la compréhension de la nature de notre ennemi. Nous parvenons à vaincre les forces néfastes qui nous habitent non par la force, mais en comprenant leur véritable nature et notre relation avec elle.

L'un des contes de Grimm, le merveilleux *Rumplestiltskin*, repose sur ce secret spirituel, si mal compris. Quelle puissance a aidé l'héroïne à vaincre les forces des ténèbres qui s'efforçaient de lui dérober son premier-né, soit la métaphore employée par les conteurs pour décrire notre essence intérieure ? L'héroïne a vaincu l'horrible petit lutin en découvrant son nom véritable. En termes spirituels, cela signifie que la puissance dont elle s'est servie n'était pas la sienne au départ, mais qu'elle l'a acquise en découvrant la nature secrète de son ennemi. C'est également notre tâche. Voici une anecdote qui vous expliquera comment être plus fort que tout ce qui essaie de vous blesser.

Tout en suivant les autres passagers qui, à la queue leu leu, sortaient de l'avion, la petite Charlotte s'efforçait de maîtriser son appréhension croissante. Peut-être aurait-elle dû attendre l'agent de bord qui lui avait promis gentiment de l'accompagner jusqu'à l'aérogare. Mais elle avait refusé, sous le prétexte qu'elle n'était plus un bébé. Tout ce qui lui restait à faire, maintenant, c'était de suivre docilement le flux des passagers. Son appréhension augmentait à chaque pas. Certes, elle n'avait que sept ans, c'était le premier voyage qu'elle effectuait sans ses parents. Mais ce qui la tracassait, c'était de ne rien voir devant elle.

Ou plutôt de ne voir devant elle, derrière elle, partout, qu'une mer de jambes et de valises de toutes les dimensions qui la forçaient à marcher dans une direction bien précise. Elle se demandait jusqu'où cette marée humaine irait. La réponse ne tarda pas à se manifester.

« Bonjour, Charlotte ! » Une voix familière pénétra le mur de passagers qui lui bouchait la vue. Elle se dirigea aussitôt vers cette voix. « Par ici, ma petite. »

Tel un phare guidant les navires perdus dans le brouillard, le grand-père de Charlotte était là, qui lui souriait. Elle courut vers lui et se jeta dans les bras qu'il lui tendait.

« Bienvenue chez grand-père ! » lui dit-il doucement en écartant les boucles blondes qui couvraient les oreilles de la petite fille. Puis il la tendit à bout de bras, pour lui parler les yeux dans les yeux. « Nous allons bien nous amuser tous les deux, toi et moi, pendant cinq jours. » Charlotte se mit à rire et, un moment plus tard, tous deux se dirigèrent vers le carrousel à bagages.

Peut-être parce qu'elle venait de vivre une grande aventure, peut-être aussi parce qu'elle n'avait jamais vu autant d'espace autour d'elle, Charlotte parvint à peine à tenir les yeux ouverts pendant le trajet jusqu'à la ferme de son grand-père. Soudain, elle fut éveillée par un cahot qui la souleva de son siège. Il lui fallut quelques instants pour se souvenir où elle était, mais elle entendit immédiatement la voix rassurante de son grand-père, à côté d'elle.

« Désolée, ma petite, mais là où je vis, nous n'avons pas beaucoup de routes asphaltées. Tiens-toi bien, d'autres ornières nous attendent. » Grand-père, qui avait le sens de l'humour, se mit à conduire sa camionnette comme s'il se trouvait soudain au volant d'une autotamponneuse. Tous deux riaient encore aux éclats lorsque le véhicule s'arrêta devant une grande maison campagnarde.

Lorsque Charlotte redescendit sur terre, elle ouvrit de grands yeux. Sa mère lui avait bien dit que grand-père habitait une région de grands espaces, mais cela ne l'avait pas préparée à la réalité. Devant ses yeux éblouis se déroulaient des collines verdoyantes qui, à l'horizon, semblaient s'étirer vers le ciel pour former des montagnes aux sommets enneigés. Le grand-père dut comprendre ce qu'elle ressentait.

« Demain, si tu te sens en forme, peut-être pourrions-nous visiter le coin à cheval. Qu'en penses-tu ? »

« Demain ? À quelle heure ? » s'enquit Charlotte, qui en mourait d'envie.

Le grand-père leva les yeux vers les nuages qui s'amoncelaient au-dessus d'eux. « Eh bien, si cette tempête passe dans la nuit, nous pourrons sortir à la première heure demain matin, juste après le petit déjeuner. Cela convient-il à notre jeune princesse ? » demanda-t-il en souriant.

Charlotte hocha la tête d'un geste royal et, après avoir extrait les bagages du coffre, tous deux entrèrent dans la maison.

Peu après le coucher du soleil, Charlotte monta dans sa chambre et ne tarda guère à sombrer dans un profond sommeil. Elle ne se rendit pas compte qu'un terrible orage se préparait à l'extérieur et que son arrivée serait le prélude d'une leçon de vie que peu de gens ont la chance d'apprendre.

Charlotte n'avait jamais entendu un fracas semblable, si puissant qu'il faillit la projeter hors de son lit ! Un grondement fut suivi d'une explosion. Il n'en finissait plus de tonner.

Elle s'assit dans son lit, bien réveillée. À la fois pétrifiée de terreur et prête à fuir, elle essaya de s'éclaircir les idées. Où irait-elle, de toute façon ? Mais, ce n'était pas sa chambre. Où était-elle donc ? « Mais oui, répondit-elle tout haut. Je suis chez grand-père. »Et elle l'appela : « Grand-père ! »

Un autre coup de tonnerre retentit, juste après l'éclair le plus violent qu'elle eût jamais vu. Chaque meuble, chaque lampe sembla sursauter avant de replonger dans l'obscurité. Charlotte sentit son cœur bondir dans sa poitrine et se dit qu'il allait exploser. Deux éclairs fusèrent, mais cette fois, aucun coup de tonnerre ne les suivit. Le silence parut étourdissant, jusqu'à ce qu'il soit remplacé par le tohu-bohu des pensées dans l'esprit de la petite fille.

« Que se passe-t-il ? Que devrais-je faire ? » Un roulement de tonnerre lui donna la réponse. De lui-même, son corps se recroquevilla contre le mur. Instinctivement, elle attira les couvertures vers elle et se dissimula en dessous, tout en essayant de calmer sa terreur croissante.

Charlotte était en train de vivre le premier orage électrique de sa vie. Elle n'avait aucune idée de ce qui se passait. C'est pourquoi en moins de trois minutes l'orage d'été qui avait éclaté au-dessus de la région avait trouvé un écho en elle.

Tout ce qu'elle souhaitait, c'était rentrer à la maison, où ce genre d'horreur ne se produisait jamais. Toutefois, un moment plus tard, bien qu'elle sût parfaitement que son décor familier était bien loin, elle ouvrit les yeux. Et là, dans l'encadrement de la porte, sa silhouette découpée par la lumière du palier, se tenait son grand-père. Quel soulagement !

« Oh là là ! s'exclama-t-il. Plutôt effrayant, non ? » Mais Charlotte constata qu'il n'avait pas l'air effrayé le moins du monde. Elle aurait voulu courir vers lui, mais il s'avançait déjà vers elle. Elle se blottit contre lui avec enthousiasme. Il la prit dans ses bras, toujours enveloppée dans sa couverture, et la porta jusqu'à la salle de séjour. Puis tous deux s'installèrent dans un grand fauteuil de cuir, face à une large baie vitrée.

En face, bien plus près qu'elle ne l'aurait voulu, Charlotte pouvait voir non seulement la chaîne de montagnes, mais encore l'orage. Elle allait protester, lorsqu'un nouvel éclair étincela et fut suivi d'un coup de tonnerre assourdissant. La pluie, poussée par le vent, venait s'abattre contre la fenêtre, comme si des milliers de gens frappaient au carreau. Charlotte essaya de tourner la tête, mais les mains de son grand-père la retinrent. « C'est le premier gros orage que tu vois, Charlotte ? »

Incapable de parler, elle hocha la tête. Il lui sourit et lui posa ce qu'elle jugea comme la question la plus idiote qu'elle eût jamais entendue.

« Et qu'en penses-tu, jusqu'ici ? »

Charlotte répondit par la plus affreuse grimace qu'elle connût, comme si on venait de lui administrer un médicament au goût particulièrement déplaisant. « Si terrible que cela ? » commenta le grand-père. L'enfant ouvrit alors tout grands les yeux. Peut-être avait-elle réagi de manière exagérée. Tous deux éclatèrent de rire en même temps.

« Veux-tu apprendre quelque chose que j'ai compris après que ta grand-mère est décédée ? »

Le grand-père fit doucement pivoter Charlotte, afin qu'elle fît de nouveau face à la fenêtre. Elle tenta d'abord de résister. Elle n'aimait pas se sentir si proche des éclairs blanchâtres qui continuaient d'illuminer la nuit.

Mais la proximité de grand-père la rassurait et elle s'installa sur ses genoux, aussi confortablement que possible. Elle lui adressa un petit sourire pour lui montrer qu'elle l'écoutait attentivement. Il lui répondit d'une voix douce.

« Ma chère enfant, accepteras-tu qu'un vieil homme, qui a pour toi une affection sans bornes, te révèle quelque chose que presque tout le monde ignore ou, tout au moins, dont la majorité des gens ne se préoccupent guère ? »

Charlotte se sentait quelque peu déconcertée, mais comme son grand-père avait adopté un ton plus sérieux qu'à l'accoutumée, elle se retourna pour croiser un instant son regard. Puis il reprit sa contemplation du ciel nocturne, rayé d'éclairs lumineux.

« Les orages se produisent constamment durant notre vie, Charlotte. C'est ainsi que cela se passe sur notre magnifique planète. » Il la dévisagea un moment avant de lever de nouveau les yeux vers le paysage assombri. « Mais j'aimerais te confier un petit secret. Ainsi, la prochaine fois qu'un orage éclatera, au lieu d'être terrorisée, tu te souviendras de ce que grand-père t'a dit et tu auras moins peur. Qu'en penses-tu ? »

Charlotte pivota de nouveau pour lui faire face et bien lui montrer qu'elle l'écoutait attentivement.

« Tu sais que grand-père est un vieil homme, n'est-ce pas ? Durant toutes ces années, j'ai traversé des orages de toutes sortes, gros et petits, et j'ai compris une chose qui s'applique à chacun d'entre eux, sans exception. » Il baissa les yeux vers Charlotte et, la regardant bien en face, exprima sa pensée de la manière la plus simple possible.

« Ma chère petite, ce que j'ai appris, c'est que *tous les orages finissent par passer.* »

Il regarda attentivement Charlotte, espérant qu'elle avait compris ce qu'il essayait de lui expliquer. Son jeune esprit en était-il capable ? Comprendrait-elle qu'il venait de lui révéler le secret qui lui permettrait de traverser tous les orages, de survivre à toutes les turbulences ? Au bout d'un moment, Charlotte prit une grande respiration et il la sentit se détendre. Elle avait certainement compris.

« J'ai une idée, poursuivit-il. Restons ici cette nuit afin de nous prouver que nous avons raison. Cela te plairait-il ? Nous observerons l'orage jusqu'à ce qu'il se dissipe ! Puis, demain matin, nous irons faire une grande promenade à cheval. Je te révélerai un autre secret, à propos des orages, quelque chose que la plupart des gens ignorent toute leur vie parce qu'ils sont trop occupés à regarder ailleurs. Après l'orage, tout est rafraîchi et régénéré. Mais oui… Un bel orage nettoie tout ! Qu'en dis-tu ? Es-tu prête à vivre cette aventure ? »

Les yeux brillants de Charlotte lui révélèrent qu'elle était non seulement prête, mais enthousiaste. Elle était bien éveillée pour sa première leçon sur la disparition des orages.

Cette anecdote nous apprend trois vérités. Tout d'abord, avant de pouvoir nous libérer de notre crainte des événements inattendus, nous devrions comprendre que cette frayeur est totalement inutile, surtout lorsque nous nous tournons vers elle pour nous protéger de cauchemars nés des ténèbres de notre imagination. Tout ce à quoi nous résistons nous résiste. En vérité, c'est notre crainte de subir un orage psychologique qui produit cet orage de sentiments indésirables !

Ce qui rend l'adversité si difficile à supporter, c'est en partie l'avalanche de craintes qui semble l'accompagner, exactement comme un nuage noir à l'horizon se manifestera inéluctablement au-dessus de nous sous forme de pluie battante. Mais cette frayeur n'est pas naturelle. Elle n'est pas non plus le corollaire inéluctable de l'incertitude. Si vous devenez un observateur de l'orage, vous finirez tôt ou tard par le comprendre.

Que signifie cette expression, « observateur de l'orage » ? Lorsqu'une situation semble être le prélude d'une tempête quelconque, choisissez à ce moment-là de vous installer confortablement pour prendre conscience de vous-même. Regardez les nouvelles pensées agitées et les sentiments turbulents s'éveiller en vous afin de vous entraîner vers des états sombres, vers l'appréhension et la frayeur. Chaque fois que vous vous éveillerez de ce cauchemar que vous aurez vous-même provoqué, chaque fois que vous le rejetterez, vous retrouverez votre confiance et votre sérénité. Maintenant, rassemblons les deux idées que nous venons d'explorer, pour parvenir au troisième point de notre étude.

Tout comme l'œil d'un ouragan ne peut exister en l'absence des terribles vents qui l'encerclent, le « je » troublé et angoissé ne peut exister en tant que noyau temporaire de notre Soi en l'absence des pensées négatives qui tourbillonnent autour de lui. Nous savons déjà que les conditions qui provoquent les orages finissent toujours par passer d'une manière naturelle et qu'ensuite l'orage même ne peut que se dissiper. Il est temps d'apprendre que cela s'applique à toutes les tempêtes psychologiques qui nous ébranlent. Nous pouvons déjà découvrir le secret de laisser passer en nous ces tempêtes sans les craindre. Ensuite, si nous parvenons à nous éveiller aux conditions inconscientes qui suscitent ces tempêtes en nous et, de là, à nous en libérer, nous aurons appris le secret de dissiper tous les orages avant même qu'ils ne commencent !

Le mot du maître

Q : L'idée de vivre dans un univers sans orage me plaît, mais compte tenu des troubles et turbulences qui semblent nous entourer, y compris ceux qui naissent en nous, comment pourrais-je parvenir à un état si élevé ?

R : *La paix intérieure produit des valeurs. Les valeurs produisent des pensées. Les pensées produisent des actions et les actions produisent un reflet qui permettra aux autres de remonter jusqu'à la sérénité originelle.*

ROBERT M. PIRSIG

Q : Pourquoi tant d'enseignements de la sagesse mettent-ils l'accent sur le travail intérieur qui encourage l'observation de soi ? J'aimerais me libérer de mes craintes, mais, à vrai dire, la seule idée de me voir tel que je suis m'épouvante. N'y a-t-il pas d'autre moyen ?

R : *Il faut faire éclater la coquille pour voir ce qu'il y a à l'intérieur. Celui qui veut l'amande doit briser son enveloppe. Par conséquent, pour découvrir la nature telle qu'elle est, nous devrions détruire ses symboles, jusqu'à parvenir à son essence. Lorsque nous atteindrons Celui qui rassemble toutes choses en lui-même, c'est là que nous devrons demeurer.*

MAÎTRE ECKHART

Récapitulation des points principaux

1. Lorsque nous nous réveillons d'un cauchemar, nous sursautons, car nous étions endormis. Mais lorsqu'une humeur sombre nous envahit pendant la journée, nous croyons être éveillés, sans soupçonner que notre mauvais rêve se déroule parce que nous demeurons endormis à l'intérieur de nous-mêmes.

2. Bien que le désir de perfection soit présent dans la trame même de notre âme, peu d'entre nous savent comment réaliser ce vœu d'un amour total. Voici pourquoi : la voie de la perfection traverse secrètement la contrée de l'imperfection, dans laquelle la conscience de l'endroit où nous sommes se modifie perpétuellement, là où nous nous tenons.

3. Ne plaidez jamais l'impuissance face aux moments difficiles ou indésirables, car, au lieu de souffrir sans réfléchir, vous pourrez toujours récupérer votre attention et vous souvenir de cette vérité : la Lumière de Dieu est capable d'illuminer toutes les ombres qui s'étendent au-dessus de vous. Au lieu de haïr ces ténèbres, recherchez la lumière et regardez-la éclairer votre vie.

4. Ce n'est pas avant de comprendre que notre vraie nature doit être continuellement redécouverte que nous deviendrons des explorateurs conscients et intrépides de la réalité de notre création. Nous serons alors capables de traverser les moments difficiles avec l'aisance d'un dauphin qui fend les courants infinis de la mer.

5. En nous souvenant que toutes les pensées obscures, tous les sentiments ténébreux ont besoin de notre accord pour nous punir, en nous souvenant également que ces états négatifs ne sont rien sans le pouvoir que nous leur donnons, nous parviendrons à vaincre l'adversité qui aurait pourtant voulu nous écraser !

Chapitre six

Apprenez à expulser l'insatisfaction de votre vie

Il n'est pas exagéré d'affirmer qu'une forme ou une autre d'insatisfaction caractérise l'existence quotidienne de la majorité des gens. Et si nous ajoutons à cette situation le temps consacré à la recherche d'une cure miraculeuse, nous en arrivons à une découverte surprenante : nous passons notre vie à essayer d'échapper à l'insatisfaction ! Pourtant, rien ne nous oblige à vivre dans un état aussi négatif. Commençons par dresser la liste des suspects que nous pourrions également appeler voleurs de joie de vivre. Des études personnelles de ce genre ont une valeur inappréciable, car la première étape consiste à comprendre comment la dynamique de l'insatisfaction œuvre en nous. L'enseignement de la sagesse vient confirmer cette vérité. Seule la lumière de la conscience peut modifier la cause inconsciente de ces états indésirables.

Voici une idée étonnante, que vous devrez garder à l'esprit durant l'enquête qui suivra : les formes habituelles d'insatisfaction qui assombrissent notre vie, ces visiteurs inopportuns qui troublent l'esprit et aigrissent le cœur, se comportent comme un essaim d'abeilles sur le point de pénétrer dans une ruche. Une seule abeille à la fois peut entrer. Cette connaissance particulière, ces pensées et sentiments d'insatisfaction doivent eux aussi attendre leur tour pour se faufiler dans notre système psychique. Voilà une notion qui se révélera extrêmement utile plus tard, lorsque nous apprendrons à nous débarrasser des états qui troublent notre sérénité.

Tout dépend de la manière dont notre journée se présente. La liste ci-dessous ne suit pas un ordre particulier, mais est destinée à illustrer notre premier argument, à savoir que nous consacrons beaucoup plus de temps à lutter contre l'insatisfaction que nous le croyons. Comme toujours, pour tirer un maximum de profit spirituel de votre lecture, je vous encourage à dresser votre propre liste des pensées et sentiments qui, d'après vous, auraient tendance à voler votre vitalité.

Voici donc quelques motifs d'insatisfaction :

1. Lorsque nous comparons notre état de santé et notre énergie d'aujourd'hui à ceux d'hier, à l'âge où nous avions le vent en poupe.
2. Lorsque nous commençons à réfléchir à nos responsabilités à l'égard de nos dépendants et êtres chers.
3. Lorsque nous examinons notre apparence physique de près et constatons que nous n'avons pas bonne mine.
4. Lorsque nous songeons à nos relations avec nos amis et parents et constatons que ces gens nous traitent rarement comme nous aimerions être traités.
5. Lorsque nous adoptons des comportements irréfléchis, que nous ne semblons pas capables de modifier.
6. Lorsque nous faisons l'inventaire de nos possessions terrestres ou, plutôt, de leur absence.
7. Lorsque nous sommes incapables de changer le caractère d'une personne qui nous est proche.
8. Lorsque nous commençons à revivre notre passé sans intérêt ou envisageons un avenir tout aussi terne.
9. Lorsque nous nous comparons à d'autres et concluons qu'ils ont plus de raisons que nous d'être satisfaits.

Le seul but de cette liste est de nous faire admettre que nous avons fini par considérer comme naturelle et inévitable l'insatisfaction perpétuelle qui vit en nous. Cette idée nous conduit tout droit à une autre surprenante révélation : l'insatisfaction paraît parfaitement naturelle à l'insatisfait !

Deux nouvelles vérités surgissent de cette étude impersonnelle. Tout d'abord, nous consacrons une bonne partie du temps à essayer de cerner la prétendue cause de notre insatisfaction. Ensuite, nous nous efforçons d'apporter à la situation les modifications qui, pensons-nous, remédieront à ce fâcheux état. Naturellement, cette description dote d'un éclairage positif ce qui se résume à une poursuite chimérique et sans fin, mais il n'en demeure pas moins que ces rêves de jours meilleurs ne naissent pas au sein de notre véritable Soi. Ce sont les créations incessantes de notre nature inconsciente, ce Soi insatiable, jamais satisfait, dont nous ne connaissons que trop bien les aspirations !

Malheureusement, il ne connaît que le type de satisfaction qu'il est capable d'imaginer. Par exemple, qui parmi nous n'a pas essayé d'évoquer un plaisir imaginaire en se trouvant face à la douleur d'une contradiction qui semblait impossible à effacer ? Cela n'a rien de répréhensible, si et seulement si nous sommes persuadés qu'un parapluie imaginaire a la propriété de nous tenir au sec sous une averse. En prenant conscience de cette dynamique inconsciente, nous lui enlevons tout pouvoir sur nous. Rien ne nous oblige à vivre avec un Soi qui cherche constamment à échanger ce que nous sommes au moment présent contre une version idéalisée de ce qu'il nous imagine être. Il est important de noter que cette nature prétendument satisfaite est inséparable de l'insatisfaction qu'elle engendre en nous entraînant dans une comparaison avec ce qui devrait être.

Voici une révélation encore plus surprenante au sujet de ce Soi insatisfait : sa nature n'est pas seulement le fruit de l'insatisfaction ; en réalité, elle n'a aucune existence indépendante. Il lui faut absolument que quelque chose cloche pour exister. Elle est uniquement là pour chercher à mettre de l'ordre dans notre situation. Autrement dit, la satisfaction que ce Soi recherche n'existe que tant que nous autorisons l'insatisfaction à demeurer en nous. La durée de vie de cette nature insatisfaite dépend du temps qu'il nous faut pour découvrir son contraire : le plaisir projeté qui nous attend lorsque nous arriverons à notre destination imaginaire. Mais, comme nous l'avons déjà constaté, à peine arrivés dans ce havre de plaisir, nous prenons de nouveau conscience de quelque chose qui cloche, là où nous nous trouvons maintenant. Et voilà le cycle de l'insatisfaction perpétuelle qui se remet en route !

En nous éveillant à ce cycle de l'insatisfaction, nous parvenons non seulement à l'interrompre, mais encore à mettre fin à la tension engendrée dans notre conscience par une contradiction invisible, soit l'espoir que notre insatisfaction pourrait être résolue par la nature même qui la crée et la maintient en vie. Il est clair qu'une solution d'un tout autre genre s'impose. Pour cela, commençons par une question bien simple, qui résume ce que nous avons appris jusqu'ici : quel être sensé croirait, ne serait-ce qu'un instant, que pour connaître une satisfaction durable il lui faut réfléchir en permanence à ce qui manque dans sa vie ? Même si cette voie semble promettre un certain plaisir, nous découvrons ici que ses étapes sont jonchées de moments d'insatisfaction.

Nous sommes les esclaves involontaires d'une nature dont l'appétit est insatiable. Elle se nourrit de contraires qui ne peuvent s'annihiler l'un l'autre, pas plus que la possession d'une épée ne nous permet de tuer la peur que suscitent en nous ceux que nous détestons. Au fur et à mesure que nous apprenons à définir notre condition actuelle, nos actions quotidiennes deviennent de plus en plus assurées, « chirurgicales », pourrait-on dire. Mais nous pouvons refuser de tolérer cette nature obscure. Maintenant, voyons ce que nous devrions faire pour nous délivrer de notre insatisfaction et de la nature divisée qui en est à l'origine.

Pour commencer, nous devrions admettre la futilité de la lutte que nous livrons quotidiennement pour obtenir les choses qui, jusqu'à présent, se sont révélées incapables de nous procurer une satisfaction. Par la même occasion, détachons-nous délibérément du Soi familier qui nous promet le réconfort tandis qu'il continue de semer les graines de l'insatisfaction.

Bien que cet effort puisse nous paraître intimidant, nous pouvons réussir à nous libérer, car nous commençons à exploiter la puissance que notre éveil nous confère. Rien n'est plus grand; nulle force n'est capable d'obscurcir la lumière qui naît en nous. Pourquoi ? Nous commençons à voir au-delà de la source de notre insatisfaction. Nous comprenons maintenant comment le Soi distingue ce que sa nature conditionnée lui montre, à savoir tout ce qui cloche dans notre vie. Ensuite, il compare cette image négative à ce qui, selon lui, devrait être. Et immédiatement, voilà que nous souffrons ! Ce sont là les contraires à l'œuvre en nous. Ils nous plongent dans une insatisfaction de plus en plus profonde.

Cependant, rien ne nous empêche de déclarer : « Ça suffit ! » La nature divisée qui incarne ces contraires n'est pas notre Soi véritable. Ce n'est qu'une ombre, un aspect unique de notre caractère originel qui, lui, est satisfait. Nous pouvons faire appel à un nouveau Je, qui comprend la futilité de nous investir continuellement dans l'espoir de l'avenir. Au lieu de nous abandonner à ces sentiments, à leurs promesses vides d'un avenir meilleur, libérons-nous afin de prendre possession de nous-mêmes, au présent.

Cela nous conduit à quelques dernières notions importantes. En effet, notre intention de nous détacher de cette nature insatisfaite et des objets qui lui donnent vie n'est pas un acte de déni ou de résistance à ce que nous ressentons au moment présent. Ce changement de signification du Je exige simplement que nous réorientions notre attention. Au lieu d'échapper à ce Soi insatisfait, nous le déménageons, avec tous ses problèmes et ses projets de liberté, dans la nouvelle conscience supérieure de notre nature véritable. En osant éclairer ce qui nous déplaît de la lumière de notre nouvel entendement, nous permettons à cette lumière de nous offrir la victoire.

Peut-être vous demandez-vous pourquoi vous devez vous débattre avec des notions en apparence aussi compliquées. Aussi déconcertante ou provocante que soit l'idée qui suit, veuillez l'analyser. Avant la fin du chapitre, nous aurons démontré sa vérité.

Le Divin, ce grand Créateur intelligent et compatissant, dont la vie est l'origine de toutes choses, quel que soit le nom que nous décidions d'attribuer à la lumière éternelle, a lui-même créé cette insatisfation apparemment insoluble en nous.

Pourquoi la bonté suprême nous aurait-elle fait un don aussi mystérieux, un don si difficile à saisir ? Parce que c'est seulement grâce à notre insatisfaction que nous comprendrons qu'il n'existe, pour nous, qu'une seule voie. Les indices sont évidents. L'expérience confirme ce que nous commençons tout juste à voir. Il n'y a qu'une seule source de contentement suprême : la réalisation de notre existence au sein de cette vie éternelle, dont la lumière compatissante nous permet de voir tout ce que nous sommes et tout ce que nous ne sommes pas, dans le présent.

Vous possédez déjà toute la connaissance dont vous avez besoin pour vous libérer du Soi insatisfait. Utilisez ces vérités pour vous hisser au-delà de l'insatisfaction qui naît de la compagnie d'une nature incapable d'imaginer autre chose que la satisfaction future. Commencez dès aujourd'hui en sachant que la satisfaction que votre cœur désire vit déjà en vous et attend seulement que vous lui offriez la place qui lui revient de droit en vous souvenant de sa paix.

Le secret spirituel qui éloigne le découragement

Nous le savons tous, il arrive parfois que le découragement nous harcèle littéralement, n'attendant que le plus petit signe de faiblesse pour nous abattre à tout jamais. En ces moments difficiles, nos émotions ternies sont assaillies de pensées négatives. Rien ne va plus. Cela vous rappelle-t-il quelque chose ? La moindre velléité d'agir pour se débarrasser de ces états douloureux est repoussée par une marée de doute, de sorte que nos bonnes résolutions semblent engagées dans une lutte futile contre l'inéluctable.

Une petite voix murmure alors en nous : « À quoi bon ? Pourquoi se donner du mal ? » Puis, comme si les trois Parques elles-mêmes nous l'avaient ordonné, nous acceptons d'être guidés par ces décevants états négatifs. Pourquoi ? Cela est-il inévitable ? Devons-nous absolument nous identifier à ce qui nous décourage ? La réponse est sans conteste NON !

Mais pour nous libérer du sort que le découragement semble avoir jeté à notre conscience, nous devrons découvrir ce qui nous transforme ainsi en larves, dépourvues de volonté. Commençons notre voyage par une grande vérité : le découragement est un mensonge.

Sans doute vous demandez-vous déjà comment un état doté du pouvoir de briser une vie peut être une simple vue de l'esprit. Mais cette vérité ne signifie pas que nous ne sentons pas le poids des moments de désespoir. Ce n'est pas parce que le découragement est une puissante illusion qu'il ne peut pas nous assaillir.

En effet, il peut fondre sur nous à la vitesse d'un millier de regrets. Il se faufile en nous afin de dérober notre vitalité, imprégner l'atmosphère d'arrière-pensées. Naturellement, la lutte contre un tel adversaire, dont nous devons surmonter les influences négatives avant de parvenir à le vaincre, n'est pas une tâche de tout repos. Mais c'est exactement ce que nous allons faire, en commençant par une notion surprenante : la raison pour laquelle nous sentons en nous la présence du découragement n'a aucune importance. Ce qui compte, c'est la manière dont nous nous y prenons pour le conquérir. Sa cause importe peu. Voici quelques explications.

Il nous arrive d'être découragés parce que nos efforts pour changer notre vie n'ont encore jamais abouti. Alors nous pensons : « À quoi bon un nouvel essai ? » Peut-être sommes-nous découragés parce que l'un de nos grands espoirs de bonheur se brise. Peut-être avons-nous constaté que notre corps ou notre cerveau n'avaient plus les capacités d'antan et tout ce que nous voyons à l'horizon, ce sont les limites que l'âge finira par nous imposer.

Voyez-vous, la raison d'être de cette amertume importe peu. En vérité, ces états négatifs n'ont pas besoin de trouver une raison extérieure pour saccager notre vie. Ils se servent de notre vécu pour se donner toutes les raisons dont ils ont besoin pour exister en nous. Que signifie cela ?

Les états négatifs, comme tous les éléments sombres qui nous agacent, ne réussissent à nous décourager que parce qu'ils sont capables de dérouler devant nos yeux des images émotionnellement et mentalement puissantes de nos déboires passés. Ces images, extraites du fin fond de nos souvenirs, nous semblent si réelles qu'elles confirment l'existence de nos conclusions négatives. Nous en arrivons maintenant à une leçon cruciale.

Tout ce que les états négatifs sont capables de faire, c'est de nous forcer à nous identifier au sentiment d'impuissance qui engendre le découragement. Et lorsque nous avons l'impression que toute lutte est futile parce que nos sentiments sont confirmés par nos souvenirs, le piège s'est refermé sur nous ! Nous sommes les prisonniers involontaires de notre propre imagination ! En avez-vous assez de vous sentir au-dessous de tout ? Parfait ! Laissez les vérités suivantes accomplir leur œuvre de guérison.

Le découragement est exactement ce que ce mot veut dire : l'absence de courage nécessaire pour lutter contre ce qui se dresse devant nous. Lorsque nous sommes émotionnellement épuisés et mentalement vidés, nous n'avons plus de ressources pour relever les défis de l'existence. Nous ne nous sentons jamais aussi seuls que lorsque nous avons, pour toute compagnie, des pensées et sentiments pessimistes. Mais ce terrible sentiment d'isolement fait partie du plan secret qui vise à nous punir. Notre découragement veut absolument nous faire souffrir de la solitude.

Pour vaincre les ténèbres qui nous habitent, voici une idée extraordinaire : les états négatifs ne peuvent se reproduire que dans le sentiment d'isolement, dans un milieu sombre qui sait engendrer en nous l'illusion que nous avons été coupés des ressources de la vraie vie. Autrement dit, la raison pour laquelle ces états nous tiennent prisonniers, c'est qu'ils nous ont convaincus que nous ne pouvions vivre au-delà des limites de leur réalité. Mais ils n'ont le dernier mot que tant que nous croyons ce qu'ils nous affirment sur nos capacités. Rien ne nous oblige à être leurs esclaves et vous trouverez ci-après les étapes nécessaires pour recouvrer votre liberté.

Tout d'abord, nous devons savoir dans notre cœur que notre vraie nature n'a pas été créée pour vivre en captivité au fond d'un cachot. Si vous n'aviez encore jamais entendu ceci, le moment est venu : nulle puissance au monde ne peut enchaîner l'âme qui cherche à se libérer dans une vérité impossible à capturer.

Nous faisons ensuite une autre constatation, aussi profondément que notre réflexion nous le permet : notre conscience est un élément vivant et intelligent du présent éternel au sein duquel elle existe et qui est également universel. Il vit partout, ne connaît pas de frontières. Voici maintenant une autre vérité hors du temps : rien, dans l'univers, ne peut capturer notre conscience, pas plus qu'un nuage n'a le pouvoir d'envelopper le ciel.

Ces idées signifient que notre conscience du découragement, ou, au demeurant, de tout état négatif, transcende ses propres frontières et existe déjà au-delà des limites des ténèbres qui la renferment. Ce qui nous conduit à une vérité capable d'éliminer le découragement : chaque fois que nous nous efforçons de transcender un état négatif en nous, cela signifie que nous avons déjà commencé à nous libérer de ses restrictions, même si nous ne distinguons pas immédiatement le fruit de nos efforts. Car le simple fait d'avoir pris conscience de notre état, au lieu d'en demeurer captifs, suffit à déclencher le flux d'énergie dont nous avons besoin pour nous élever vers notre nouvel entendement, sans que rien ne puisse nous retenir. Notre désir de comprendre cet état négatif, au lieu de lui permettre de définir ce dont nous avons conscience, modifie notre relation même avec la vie !

La voie vers le degré supérieur de conscience, qui nous était barrée un instant plus tôt, s'entrouvre maintenant pour nous faire jouir des ressources infinies de la lumière vivante. Le présent, désormais actif en nous, ne peut demeurer confiné, ce qui signifie que les anciennes limites n'existent plus pour nous. Les ténèbres qui nous dominaient se sont littéralement dissoutes parce que nous avons choisi la lumière vivante pour nous défendre contre elles.

Nous le savons, la voie de la satisfaction nous est ouverte. Nous n'avons plus de raison de souffrir inutilement. Mieux, nous sommes rassurés en apprenant que rien, dans l'univers, ne peut nous empêcher de réaliser l'ordre victorieux de notre être, parce que le Divin en a déjà vu la vérité. Il nous suffit d'acquitter le prix de ce degré supérieur de conscience. Et les pièces de monnaie dont nous avons besoin se trouvent déjà dans notre poche.

Éliminez les dix causes du chagrin inutile

Pourquoi de nos jours laissons-nous tant de chagrin nous gâcher la vie ? Vous êtes sceptique ? Dans ce cas, demandez-vous pourquoi les gens consacrent autant de temps à essayer de se distraire en s'adonnant à des plaisirs vides ou empruntent une voie spirituelle après l'autre, en espérant aveuglément que quelque chose viendra combler ce vide. Pour cela, nous devons être prêts à examiner quelques notions générales sur ce qui semble être une épidémie de souffrance humaine. Chemin faisant, souvenez-vous de ce principe spirituel : tout ce qui, en nous, refuse d'explorer l'origine d'un chagrin est déjà un élément d'une douleur qui préfère demeurer dans l'ombre.

En gardant ces idées à l'esprit, demandons-nous si le genre de douleur que la plupart des gens tolèrent est véritablement nécessaire. Et, comme beaucoup le supposent, si ces chagrins, frayeurs et frustrations en tout genre sont essentiels à la vie. Comment être sûr qu'ils sont un attribut inévitable de la réalité ? Ou, au contraire, sont-ils inutiles, nés de notre incompréhension de ce qui est possible et de ce qui ne l'est pas ?

Je reconnais que dans le monde actuel, où la spiritualité est devenue une marchandise, il est peu probable que l'on juge favorablement quiconque ose affirmer que certaines choses sont impossibles. Après tout, selon le raisonnement de beaucoup de prétendus maîtres et gourous d'aujourd'hui, rien n'est impossible à ceux qui vivent dans la lumière de leur enseignement exclusif. Affaiblis et las, nous sommes prêts à gober ce genre de platitudes.

Pourtant, certaines choses sont vraiment inaccessibles. Et, comme nous allons le découvrir, ce sont nos multiples tentatives pour les atteindre qui engendrent une large part, sinon la totalité, du chagrin dans lequel nous vivons aujourd'hui et dont nous rendons les autres ou les circonstances responsables. La brève explication qui suit vous éclairera sur ce problème et la nécessité de bien le comprendre.

Commençons par l'idée que chacun de nous détient le pouvoir de faire ce qu'il veut, quand il veut. La question ici n'est pas de savoir ce que nous pouvons ou ne pouvons pas faire, mais de comprendre ce qui se passe lorsque nos actes n'ont pas le résultat escompté.

Par exemple, prenez quelqu'un qui recherche l'approbation de tous. Cette personne est convaincue qu'il est possible d'adapter son comportement de manière à être appréciée de tout le monde. Par conséquent, pour obtenir ce qu'elle recherche, elle modifie – consciemment ou non – son comportement selon les besoins de la situation. Dans ces conditions, il lui est possible de réaliser son rêve d'être aimée par tous ceux qui constituent son entourage.

Mais ce qui lui est impossible de faire, quelles que soient les situations dans lesquelles cette personne se retrouve, c'est de se libérer de son insécurité latente en se comportant de manière à obéir à sa peur. Mais nous savons déjà que c'est ce problème d'amour-propre, ce sentiment d'incompétence ou d'infériorité, qui l'incite à essayer d'impressionner les autres pour obtenir leur approbation. Par conséquent, qu'est-ce qui se passe vraiment en son for intérieur ? Qu'est-ce qui noue des relations avec les gens que cet individu veut attirer vers lui ? C'est sa propre faiblesse, qui demeure indétectable parce qu'elle se dissimule derrière la fausse emprise qu'il croit posséder sur lui-même.

Ajoutons à cela le fait que les autres sont parfaitement capables de déceler cette faiblesse en nous. Peut-être sommes-nous incapables de distinguer nos propres lacunes psychologiques. Mais nous sommes les premiers à discerner celles des autres ! En outre, il est dans la nature de ces faiblesses inconscientes de juger les autres et de fondre sur quiconque semble en être victime. En résumé, non seulement il est évident que l'individu dont nous parlions est incapable de réaliser son vœu, mais encore *ses tentatives dans ce sens sont elles-mêmes à l'origine de la souffrance contre laquelle il essaie de lutter.*

Voici donc la clé de cette leçon, dont nous examinerons en détail les points dans le cadre d'un exercice particulier : *aucun contraire n'est capable de s'annuler lui-même*. C'est impossible. Utilisons la simple métaphore qui suit pour mieux comprendre une grande vérité spirituelle.

Imaginez un crayon triste, qui aimerait que tous les autres crayons du monde rendent hommage à la force de sa mine de carbone. Malheureusement, il n'y parvient pas. Alors, il décide de ne plus être un crayon. L'une de ses extrémités s'efforce de se transformer en quelque chose d'autre qu'un bâtonnet de bois rempli de plomb. Néanmoins, malgré ses efforts, justement parce qu'il a besoin de rêver pour échapper à son destin, il demeure un simple crayon.

Plus nous en apprendrons sur les souffrances inutiles que ces contraires invisibles engendrent en nous, grâce à notre relation inconsciente avec eux, plus vite nous nous libérerons de nos efforts inconscients pour réaliser l'impossible. Par exemple, il est impossible de mettre fin à une souffrance émotionnelle en imaginant une joie nouvelle. Comprenez-vous maintenant pourquoi ?

Le Soi qui se met à imaginer ce genre de chose ne comprend pas qu'une force invisible de chagrin ou de détresse alimente ses rêves. Par conséquent, plus il s'efforce d'imaginer un bonheur quelconque, plus il s'identifie au contraire de ce qui produit son rêve de moments agréables.

Notre vie est guidée vers la lumière et la noblesse d'âme en une ascension perpétuelle. Nous tenons la promesse de notre véritable potentiel en cherchant à réaliser ce qui est possible et non en luttant sans fin pour obtenir l'impossible. La plupart de nos chagrins sont engendrés par nos efforts pour nous transformer en quelque chose que nous n'avons nul besoin d'être ou pour obtenir l'impossible.

Les dix causes des chagrins inutiles vous expliqueront comment nous créons inutilement notre souffrance. Chacune contient deux idées importantes : tout d'abord, chaque fois que nous aurons l'idée de tenter l'impossible, non seulement nous nous dirigerons tout droit vers la défaite, mais encore nous renforcerons le Soi qui aimerait nous faire croire qu'il est possible d'éteindre un feu en jetant de l'huile dessus.

Ensuite, lorsque nous nous éveillerons à ces machinations de notre esprit, nous constaterons qu'il n'y a qu'une solution pour mettre fin aux souffrances qu'elles provoquent : nous devons cesser d'obéir à leurs faux conseils. Autrement dit, dès que nous constaterons que la guérison a commencé, dès que nous nous serons libérés de notre relation invisible avec les parties de nous-mêmes qui sont responsables de notre chagrin, nous mettrons fin à nos douleurs.

Voyons donc maintenant les dix aspects de notre vie qui nous incitent à tenter l'impossible et, donc, à semer et à récolter le chagrin et la frustration.

1. Il est impossible d'obliger les autres à comprendre qu'ils ont commis une erreur.
2. Il est impossible d'être transporté vers un havre de paix et de sécurité à bord d'un navire bâti par l'anxiété et propulsé par la peur.
3. Il est impossible de connaître le vrai bonheur aux dépens du malheur de quelqu'un d'autre.
4. Il est impossible de s'élever en rabaissant les autres.
5. Il est impossible de profiter des autres sans en avoir secrètement peur.
6. Il est impossible de nous emplir de la lumière du Divin tant que nous demeurons entièrement centrés sur nous-mêmes.
7. Il est impossible de s'élever au-dessus de craintes ou d'inquiétudes dont nous n'avons pas découvert et extirpé la racine qui s'enfonce profondément dans notre incompréhension.
8. Il est impossible de recevoir le pardon sans avoir déjà appris à pardonner librement.
9. Il est impossible de souhaiter du mal à quelqu'un, quelle que soit la raison, sans tomber malade.
10. Il est impossible de tirer une leçon d'une situation à laquelle nous résistons ou que nous détestons.

Essayez d'ajouter à cette liste vos idées personnelles sur la manière dont vous vous punissez. Cette introspection est extrêmement précieuse, car elle récompensera les disciples sincères en leur offrant une vie libre de tout chagrin inutile. Souvenez-vous-en et tenez votre promesse d'atteindre la vraie vie en osant éclairer des vérités qui vous libéreront. C'est le prix de la véritable satisfaction.

Exercez votre autorité sur ce qui vous blesse

Vous avez atteint un stade important de notre étude sur l'élimination des états sombres qui volent le bonheur. Il ne suffit pas de souhaiter être libres, il faut aussi agir, il faut employer les vérités que vous découvrez. Sinon, vous ne comprendrez jamais leur pouvoir, qui consiste à vous débarrasser de ce qui vous gâche la vie. Tout en gardant cette notion à l'esprit, nous devons aussi comprendre que la vérité qui nous libère n'est pas un employé que nous engageons pour faire le travail à notre place, pour produire la nouvelle vie que nous appelons de nos vœux. Cela a plusieurs significations.

Tout d'abord, comme nous l'avons appris, il faut être réceptif à la vérité dans le présent. Seule la conscience de notre douleur nous conduira à ce qui pourrait véritablement y mettre fin. Mais ensuite, nous devrons, nous-mêmes, respecter ce que nous savons être la vérité du moment. Prenons l'exemple de l'insatisfaction. Une fois que nous aurons compris qu'accepter de revivre un regret équivaut à s'engager dans un dédale sombre et caverneux, dont l'entrée est soigneusement dissimulée par une pancarte portant l'inscription suivante : « Entrez ici, vous qui souhaitez échapper à votre passé », nous ne perdrons plus notre temps à nous demander si, en ressassant indéfiniment ce qui nous tourmente, nous pourrions aboutir à une conclusion différente. C'est impossible, totalement impossible, et nous le savons, malgré nous. Par conséquent, désormais, nous devons vivre la vérité. Nous devons refuser, quel qu'en soit le prix, de participer à une conversation avec les éléments qui, en nous, se sont à maintes reprises révélés responsables de notre douleur.

L'anecdote suivante illustre ce phénomène et nous explique comment mettre en pratique notre nouvelle sagesse.

Bien que Thérèse se sentît en proie à une certaine nervosité, elle continua d'avancer vers les grandes portes de verre. Elle prit une grande respiration et tendit la main vers le battant pour le repousser vers l'intérieur, mais avant qu'elle eût achevé son geste, les portes s'ouvrirent lentement d'elles-mêmes. Thérèse demeura figée sur le seuil, le bras tendu en avant comme une somnambule. Elle jeta un coup d'œil fugitif vers les gens assis aux tables éparpillées dans la grande salle à manger et se rendit compte que la plupart avaient surpris son geste naïf. Pour éviter de perdre la face, elle fit mine d'étirer les bras en avant et de bâiller, comme si elle n'en pouvait plus d'ennui. En réalité, elle tenait à peine en place, tellement elle était énervée.

Elle n'avait pas vu sa sœur aînée, Claudia, depuis près de six mois. Le temps s'était écoulé très vite. Mais rien de tout cela n'avait d'importance. Thérèse se trouvait à Hollywood pour rendre visite à sa sœur préférée, qui avait été engagée par l'une des plus importantes compagnies cinématographiques afin de servir de doublure à l'une des actrices les plus populaires du moment. Et, comme si cela ne suffisait pas, Thérèse se trouvait dans le restaurant de la compagnie, Le Rendez-Vous des Stars. Non seulement elle allait sans doute entrevoir certaines des vedettes du grand écran, mais encore sa sœur et elle déjeuneraient-elles dans la même pièce. Dans son émerveillement, Thérèse ne s'aperçut pas que le maître d'hôtel s'avançait vers elle.

« Extraordinaire ! s'exclama-t-il en souriant. Vous ressemblez vraiment à votre sœur ! Claudia m'a assuré que je n'aurais aucun mal à vous reconnaître, mais je n'aurais jamais cru que la ressemblance pourrait être aussi frappante ! » Puis il poursuivit tranquillement. « Votre sœur a téléphoné pour me dire qu'elle serait en retard de quelques minutes et elle m'a demandé de m'occuper de vous. Laissez-moi vous conduire à votre table. »

Sans attendre la réaction de Thérèse, il la conduisit à une table en coin, dans une partie de la salle entourée de miroirs. « Mon nom est

Roberto, je suis enchanté de faire votre connaissance. Suivez-moi, s'il vous plaît. »

Thérèse dut accélérer le pas afin de le rattraper. Lorsqu'elle se laissa enfin choir sur sa chaise, elle eut l'impression non seulement de soulager ses jambes d'une grande fatigue, mais encore de ne plus se sentir aussi stupide qu'un poisson hors de l'eau. Elle prit une grande respiration, expira tranquillement et, pour la première fois, regarda autour d'elle.

L'endroit était élégant. Les convives, confortablement installés sur des banquettes de cuir, discutaient à voix basse. Thérèse tendit l'oreille, espérant recueillir l'un de ces secrets qui, demain, feraient les manchettes des journaux. De fait, elle était si captivée par ce qu'elle imaginait être l'ambiance dramatique de la salle et les commérages sordides qui devaient être échangés autour d'elle qu'elle ne remarqua pas un changement soudain d'atmosphère. Un silence presque palpable s'était posé sur les convives, un peu comme tout se tait, tout se fige dans la jungle lorsqu'un grand prédateur fait son apparition. Thérèse sentit l'appréhension l'envahir. Mais c'était trop tard.

Elle leva les yeux pour plonger directement dans le regard perçant d'un homme élégant, de petite taille, à la peau olivâtre, debout devant la table. Elle comprit instinctivement que sa présence était la raison du silence dans la salle. Elle se demanda pourquoi il se tenait perché devant elle ainsi, tel un faucon sur une branche. Puis presque aussitôt, elle le reconnut et elle eut l'impression que son cœur allait exploser.

C'était Simon Manslehart, le réalisateur mondialement connu du film même qui avait conduit Claudia à Hollywood. Thérèse se sentit soudain essoufflée. Des images contrastantes éclatèrent dans sa tête. Devait-elle se lever et l'accueillir poliment ou, au contraire, prendre la poudre d'escampette ? Les lettres de Claudia lui revinrent à l'esprit, ses descriptions de l'arrogance et du mauvais caractère légendaire du réalisateur. Une étrange impression la traversa et, lorsqu'elle leva de nouveau les yeux vers lui, elle constata qu'il continuait de la fixer du regard.

« C'est probablement ce qu'un oiseau ressent lorsqu'il est hypnotisé par un serpent sur le point de frapper », se dit-elle. Thérèse ne savait à quel point elle avait visé juste. Un instant plus tard, le nouvel arrivant se lança dans une offensive vipérine.

« Pour qui te prends-tu ? vociféra-t-il. Tu m'as obligé à te chercher partout ! » Thérèse, éberluée, ouvrit tout grands les yeux, mais le reste de son corps était complètement figé de terreur. Son silence involontaire sembla enrager son interlocuteur. Mais elle avait momentanément perdu la voix.

« Ah, vraiment ! » reprit-il sur un ton sarcastique, comme si elle venait de lui fournir une excuse. « Et tu te fiches de savoir que nous avons un délai à respecter et que c'est ma tête qui est sur le billot ! » Puis, après avoir jeté un regard alentour, pour bien s'assurer qu'il était l'objet de l'attention générale, il poursuivit sa diatribe.

« Laisse-moi te dire une chose, pauvre idiote », déclara-t-il tandis que son visage s'empourprait de colère. « Ton problème, c'est aussi celui des autres. Vous êtes incapables de travailler correctement. Et maintenant, file ! Je veux te voir sur le plateau dans cinq minutes ! »

Thérèse, toujours figée, plongée dans une humiliation totale, savait pourtant qu'elle devait réagir. L'insulte suivante brisa sa léthargie.

« Non mais, es-tu débile ou quoi ? » hurla-t-il dans un rictus visiblement familier. « Debout et fais ce que je te dis ! Sinon ta carrière ici est bien finie ! C'est clair ? »

Thérèse eut l'impression de recevoir un choc électrique. Tandis qu'elle reprenait lentement ses esprits, le désir de répondre aux accusations, d'apaiser le courroux du réalisateur la harcelait. Pourtant, en même temps, elle sentait monter en elle-même une sensation tout à fait différente, une réaction qui, elle le savait intuitivement, était la bonne… si elle parvenait tout au moins à endiguer la terreur que suscitait cet homme en elle. Et soudain, elle sut exactement ce qu'elle allait dire.

Thérèse se redressa sur son siège, leva le menton et sourit intérieurement. Puis, pour la première fois depuis que le réalisateur avait commencé à l'insulter, elle le regarda droit en face, au point qu'il détourna les yeux. Puis elle retrouva la voix qui l'avait abandonnée. Il fut encore plus éberlué de l'entendre répliquer qu'elle-même l'était d'avoir mobilisé le courage de le faire.

« Il est clair que vous me prenez pour quelqu'un d'autre, une personne sur qui vous exercez une autorité considérable, mais vous avez malheureusement insulté quelqu'un qui ne dépend pas de vous. »

Et elle conclut avec un immense plaisir :

« Je n'ai pas à obéir à vos ordres. »

À ces mots, elle croisa le regard d'un convive qui lui sourit avec approbation. Quant à M. Manslehart, il était évident qu'elle venait de lui signifier son congé.

Le visage du réalisateur pâlit de fureur, il tenta de bégayer une ou deux injures, mais Thérèse l'ignorait déjà. N'ayant plus personne à intimider ou à amuser, il fit demi-tour et sortit du restaurant.

Si vous voulez savoir comment répondre à une douleur, voilà ce qu'il faut dire. Vous n'avez pas à obéir aux ordres d'une partie de vous-même qui essaie de vous punir, de vous intimider ou de vous entraîner vers la dépression. Notre pouvoir d'élimination de ces pensées et sentiments qui nous tourmentent est inféodé à la compréhension de notre liberté. Nous ne travaillons pas pour eux, nous ne leur devons rien, pas même le souhait qu'ils nous laissent en paix !

Nous pouvons tous découvrir la vérité qui est apparue à Thérèse. Notre refus de répondre à ces états sombres, décourageants, destructeurs les déconcertera. Ils n'auront plus personne à harceler ou à brutaliser, à entraîner dans leur univers de conflits et de tourments. *Ils n'auront plus de royaume !* Notre conscience éveillée revendiquera pour nous le droit à la liberté, parce qu'elle a le pouvoir de faire abdiquer tous les dictateurs en puissance.

Le mot du maître

Q : L'un de mes amis affirme qu'il aimerait faire un effort pour abandonner son attitude défaitiste afin de connaître une nouvelle vie, mais il est convaincu que ses problèmes sont tels qu'il n'a aucune chance de succès.

R : *Se soucier exagérément de nos problèmes est plus dangereux pour notre santé spirituelle que les problèmes mêmes.*

JEANNE GUYON

Q : Quelle est l'étape la plus importante lorsque nous voulons apprendre à nous débarrasser de notre sentiment constant d'insatisfaction ?

R : *Nous pourrions parvenir à une nouvelle réalité de notre être et percevoir une nouvelle relation si nous cessions de ressasser nos chagrins et faisions preuve de la volonté nécessaire pour arrêter la roue de l'imagination et des sens.*

JACOB BOEHME

Récapitulation des points principaux

1. Tant que nous acceptons de nous engager dans le tunnel obscur des sentiments et pensées qui constituent ce que nous appelons l'insatisfaction, en nous efforçant par tous les moyens d'atteindre l'extrémité où nous espérons que le bonheur nous attend, nous ne découvrirons jamais que cette insatisfaction est un mensonge et que le désir de nous épanouir en dehors de notre propre cœur fait partie de ce mensonge.

2. Tout comme l'essaim de mouches qui obscurcit le ciel est rapidement dissipé par la brise, les états négatifs qui assombrissent notre cœur et notre esprit peuvent eux aussi être dissipés. Il nous suffit de nous éveiller à nous-mêmes pour demander au lutin qui nous tourmente : « De quel droit peux-tu nous gâcher la vie ? »

3. Les éléments de notre Soi qui, dissimulés dans les tréfonds de notre cœur, nous murmurent que tout effort pour connaître notre vérité est inutile

représentent justement cette inutilité. Ces états négatifs s'efforcent de décevoir notre simple espoir d'une vie meilleure, parce que, s'ils ne réussissent pas à nous gâcher la vie, ils seront contraints de fuir notre cœur, et les forces du désespoir qui les nourrissent devront chercher un autre abri.

4. La seule véritable solution au harcèlement constant de l'insatisfaction n'est pas de continuer à acquérir des objets qui se sont révélés impuissants à modifier notre état d'esprit, mais de nous détacher consciemment de ce degré du Soi qui est persuadé que la voie de la satisfaction est pavée de tout ce qui manque à notre bonheur.

5. Tout comme l'aurore dissipe les ténèbres et les fait disparaître entièrement, notre lutte pour parvenir à la conscience dans les moments négatifs nous arme de la lumière intérieure dont nous avons besoin pour rejeter et, enfin, éliminer ces forces inconscientes qui assombrissent notre vie.

Chapitre sept

Les principes éternels de la vie au présent

Plus nous apprenons par une observation paisible de nous-mêmes et des autres, plus nous constatons que nous partageons tous un certain type de comportement : nous sommes tous à la recherche d'un peu de paix, d'un bonheur bien à nous. En face de vous se trouve un homme assis derrière un pupitre ; il rêve de tout ce qu'il fera lorsqu'il pourra enfin disposer de son temps. À la cafétéria, vous apercevez une femme qui essaie de résoudre un problème personnel. Et ainsi de suite, tout le monde, partout, est en quête de sa petite tranche de bonheur. Certains recherchent ce paradis dans les acquisitions matérielles, en tirant les plans d'un avenir meilleur rempli de nouveaux plaisirs. Pour d'autres, le bonheur, c'est d'abord et avant tout d'aimer ou, peut-être, d'être captivés par des merveilles naturelles. Certaines personnes sont sûres que leur croyance en un paradis futur – croyance dictée par leur conditionnement culturel – revient à vivre dans la paix de sa lumière omniprésente.

Cependant, que nous recherchions ou non le paradis ici-bas, nous devrions être conscients de deux choses. Tout d'abord, le bonheur que nous imaginons n'est pas durable et finit par perdre de son lustre. Les raisons en sont nombreuses, mais l'issue est toujours la même, car la réalité entre en collision avec nos rêves et nos espoirs, qui sombrent peu à peu dans des eaux inconnues.

Ensuite, ce n'est pas avant d'avoir connu plusieurs déceptions qu'il nous vient à l'idée que nous ne cherchons pas le paradis là où il se trouve en réalité. Il est possible, après tout, que ce que notre cœur appelle se dissimule ailleurs, finissons-nous par penser. Notre intuition ne nous trompe pas. Sur les murs silencieux des véritables sanctuaires spirituels éparpillés dans le monde entier sont toujours gravés, en lettres invisibles, les mots suivants : « Pourquoi cherches-tu la permanence dans le fugitif, l'éternel dans le temporaire ? »

Je vis dans une petite maison sise au sommet d'une colline, dans le sud de l'Oregon. Chaque matin, je m'installe dans un fauteuil près d'une grande baie vitrée et je regarde le monde autour de moi. À moins d'une dizaine de mètres, mère Nature semble organiser pour moi seul un défilé permanent. Les cerfs, les dindons sauvages, les écureuils gris, les lièvres et plus d'une douzaine d'espèces d'oiseaux se rassemblent avant de gambader vers une clairière entourée d'une magnifique chênaie. Les oiseaux viennent picorer dans les nombreuses mangeoires que j'ai installées autour de la maison, tandis que les dindons sont à l'affût des reliefs de repas. Pourquoi les autres font-ils aussi leur apparition, je n'en ai aucune idée. Peut-être sont-ils tout simplement sociables.

Début mars, quelques indices annoncent l'arrivée du printemps et pour mes visiteurs, tout change. Chez les oiseaux, c'est le début de la saison de reproduction. Ils chantent, ils prennent des poses menaçantes, ils adoptent un comportement agressif pour défendre leur territoire. Pour les mammifères, c'est le moment de donner naissance aux petits conçus plusieurs mois auparavant.

Mais quelles que soient les conditions, toutes ces créatures ont un point en commun. Il suffit de faire preuve d'observation pour constater qu'elles sont toujours en mouvement. Elles sont à l'écoute de tout ce qui se passe autour d'elles et, au moindre bruit, frémissent comme une toile d'araignée lorsque la brise se lève.

Qu'est-ce qui leur permet de dépenser tant d'énergie vitale ? C'est un trait de comportement particulièrement notable : les animaux passent leur vie à la recherche de nourriture. En sus de la reproduction, cette quête incessante est leur principale activité sur terre. Ce qui nous conduit au point suivant.

La ronde silencieuse des saisons, le désir latent de tous les êtres vivants de réaliser le but de leur existence, la main invisible qui leur assure la nourriture nécessaire au bon moment, tous ces éléments, leur équilibre et leur simultanéité nous révèlent la présence de ce que les sages appellent les « Éternels invisibles ».

Ces Éternels invisibles sont les principes hors du temps qui régissent la manifestation de notre monde concret. Ils entretiennent avec notre univers la même relation que le soleil avec l'ombre, qui est le témoin du rayonnement de son créateur. En considérant ces forces éternelles comme la toile de fond d'une réalité plus vaste, nous devenons nous aussi témoins de l'évolution d'un univers intelligent, à l'œuvre dans l'éternel présent.

Lorsque nous prenons conscience de ces Éternels invisibles, nous entrons dans un nouvel ordre de réalité, où l'intelligence, l'action et l'harmonie ne font qu'un. Là, une lumière universelle éclaire toutes les créatures animées. Même le conflit y sert un but plus grandiose que ses causes banales.

Entre le moment où nous découvrons cette réalité supérieure et celui où nous décidons d'en faire le décor de notre existence se déroule une voie spirituelle. Il incombe à tous ceux qui souhaitent pénétrer dans les univers éternels d'accomplir ce périple. Et c'est durant notre séjour sur terre que nous sommes destinés à connaître ce paradis intérieur. Ne nous y trompons pas.

Débarrassez-vous de la masse de traductions socialement acceptables des grandes écritures religieuses et vous trouverez, en dessous, un principe de base, le seul qui soit à la racine de tous ces enseignements : le paradis *du présent et de l'ici-bas* que notre cœur appelle est déjà *en nous*. Jacob Boehme, grand mystique chrétien, rappelle que le Christ a enseigné cette vérité : « Mes ouailles entendent ma voix, je les reconnais et elles me suivent et je leur donne la vie éternelle. » Jésus n'a pas dit : « Vous connaîtrez la vie éternelle un jour », soit après la mort, mais au contraire ici même, dès aujourd'hui.

Si nous sommes capables de distinguer ces Éternels invisibles, dans lesquels le céleste se dissimule derrière l'ordinaire, si nous comprenons que leur réalité hors du temps correspond aux rouages de notre propre conscience, alors nous serons prêts à la tâche intérieure qui nous attend pour ne faire qu'un avec notre véritable nature.

Faites germer le bonheur et la spiritualité

Quelle est la nature du véritable travail intérieur, qui transforme notre être pour toujours ? Comment savoir s'il est requis de nous ? Quand ? Par qui ? Pourquoi ? Ce sont les questions auxquelles ceux qui s'intéressent à la spiritualité essaient de répondre depuis la nuit des temps. Pour le moment, une chose devrait être claire : pour entrer dans le véritable présent, où nous attend une intelligence hors du temps, éveillée en elle-même, nous devons nous conformer aux principes éternels qui constituent son fondement secret.

Nous n'insisterons jamais assez sur le besoin de découvrir et de comprendre les Éternels invisibles, car nous sommes leur incarnation. C'est pourquoi nous pouvons nous éveiller à leur existence, obéir à leur volonté, réaliser notre unité avec eux. Prenons maintenant l'un de ces grands principes afin que l'étude de sa sagesse nous permette d'accroître la nôtre. La vérité de celui qui suit est évidente : dans toute la création, tout ce qui est mineur trouve son origine dans quelque chose de majeur. Par exemple, la branche doit son existence au tronc dont elle est issue ; les fleuves coulent vers la mer qui leur donne vie. Il en va de même des Éternels invisibles. Parmi eux, ainsi qu'en eux, nous trouvons des vérités majeures et mineures.

Dans le même ordre d'idée, examinons l'un des principes les plus fondamentaux, enseigné par tous les grands maîtres à penser : nous récoltons ce que nous avons semé. En ces temps que l'on dit progressistes, ce principe, pourtant si simple, a une valeur prophétique. Partagez-le avec quelqu'un qui déteste sa vie et il vous détestera parce que vous lui avez expliqué l'origine de son mal de vivre.

Où que nous posions les yeux, nous voyons des gens qui ne s'intéressent qu'à une chose : obtenir ce qu'ils veulent, quand ils le veulent, aussi vite que possible. Le feu qui entretient leur appétit de succès engendre tant de fumée qu'ils perdent de vue le fait que tout ce qu'ils récoltent, ce sont les cendres froides du regret des relations passées.

Pour comprendre l'intégrité et la bonté permanente de notre vraie nature, pour en apprendre davantage sur le paradis pendant que nous vivons sur terre, nous devons semer les graines qui feront fructifier la vraie vie. On ne doit pas s'attendre à récolter ce qu'on ne sème pas. Espérer une vie meilleure ne suffit pas pour semer de véritables graines spirituelles, pas plus qu'escalader une montagne imaginaire équivaut à atteindre son sommet.

Semer les graines de notre spiritualité signifie qu'il nous faut accomplir un travail spirituel. Il s'agit d'abord et avant tout d'introspection, même si avec le temps ce travail se manifeste par des actes externes. Quelle est cette introspection qui nous permettra de semer en nous les graines du céleste ? Voici quatre moyens d'y parvenir :

1. Nous devons éviter de nous encombrer ou d'encombrer les autres de nos regrets passés, de nos déceptions, de notre vision angoissée du futur, tout en apprenant à explorer les aspects invisibles de notre nature actuelle, qui récoltent les regrets tout en continuant de semer leurs sinistres graines.
2. Nous devons apprendre à demeurer dans la quiétude pour attendre patiemment que la lumière de la paix de Dieu vienne remplacer les pensées et sentiments négatifs qui murmurent sans arrêt que nous sommes trop chargés pour continuer notre route. Chaque fois que nous semons ces graines pendant une séance de méditation, nous récoltons la force qui nous permet de comprendre que le silence est notre véritable demeure.

3. Nous devons délibérément nous souvenir de notre intention d'entamer notre nouvelle vie chaque fois que nous commençons à revivre un conflit passé. En cultivant une perspective toute neuve, engendrée par l'idée que notre vraie vie est toujours en train de renaître dans le présent, nous abandonnons ce que nous étions afin de récolter une vie libre de dangers et de craintes.
4. Nous devons apprendre à regarder nos peurs, notre lassitude et notre anxiété en face ; au lieu de voir ce qui est impossible, selon leurs critères, il vaut mieux semer les graines d'un nouveau Soi en osant douter de leur vision lugubre de la réalité. Notre refus de nous identifier à des états négatifs et restrictifs nous permettra de récolter la joie de nous élever au-dessus de leurs limites intrinsèques.

Voici donc la leçon la plus importante de cette section : il ne suffit pas de semer des graines dans notre vie matérielle, à savoir lutter pour gagner des millions, inventer le produit le plus ingénieux ou devenir une vedette adulée. En effet, aussi sublimes que paraissent de prime abord ces intentions, même si leurs graines germent et fleurissent, elles n'aboutiront qu'à des moments de bonheur fugitifs. Pour connaître la vraie vie, une vie emplie de lumière, nous devons semer ces graines éternelles en nous-mêmes. C'est cela notre tâche. Dressez votre liste de tout ce que vous pourriez faire pour semer les graines de votre vraie vie. Décidez de vous éveiller à vous-mêmes, regardez-vous commencer à récolter la conscience qui rend tout possible.

Saisissez la liberté personnelle dans les principes de la justice invisible

Quelles qu'aient été nos luttes passées, la force dont nous avons besoin pour nous affranchir de ce qui nous retenait se trouve déjà entre nos mains. C'est cela, la joyeuse découverte de la liberté personnelle. Notre étude nous a appris à éliminer toute pensée décourageante dès que nous nous rendons compte qu'il s'agit d'un mensonge. Nous avons découvert que les états négatifs si stressants n'ont sur nous que l'autorité que nous leur avons accordée pendant notre sommeil spirituel. Il est temps, maintenant, d'apprendre un autre principe de la libération de soi : comment nous débarrasser du sentiment de déception que suscitent parfois en nous les autres, y compris de notre désir de les punir pour toute la douleur ou le chagrin que notre relation avec eux a pu nous apporter. Voici donc une nouvelle leçon cruciale.

Nous ne pouvons espérer être libres tant qu'une partie de nous-mêmes continue de souffrir de ce que les autres font, ont fait ou feront de leur vie, ou de nous y opposer. En outre, si nous pouvions demeurer conscients des dommages subis par notre personnalité – en d'autres termes, des conflits dans lesquels nous vivons –, nous ressentirions un nouveau désir. Au lieu d'espérer que telle ou telle personne nuisible ait un jour ce qu'elle mérite, nous devrions songer à autre chose, notamment au présent, dans lequel nous vivons, en essayant de nous libérer des vieilles rancœurs qui, elles, refusent de nous lâcher !

Notre incapacité de nous débarrasser de ce sentiment, qui fait de nous les otages du comportement d'autrui, est en grande partie engendrée par une perception erronée de la situation. En effet, nous sommes persuadés que nous devons remettre les autres dans le droit chemin, sinon il n'y aura pas de justice. Mais, comme nous allons heureusement le découvrir, la vérité est très éloignée de cette conception populaire et de l'enchaînement de victimes qu'elle contribue à créer.

Comme notre étude des Éternels invisibles le révèle, de grandes forces sont à l'œuvre autour de nous et en nous, à chaque instant. Et lorsque nous commençons à comprendre que ces principes parfaits sont déjà en place pour nous conférer notre libre arbitre, nous entrons dans un tout nouvel ordre de liberté. Comme nous l'avons appris au chapitre quatre, la liberté n'est pas une création des humains. Ce n'est pas un état auquel nous parvenons en faisant coïncider la vie avec nos désirs. C'est un système déjà en place, dont nous parviendrons à mobiliser la puissance dès que nous aurons pris conscience de sa réalité. Ces lois invisibles s'appliquent également à la justice pour tous. Nous connaissons tous l'expression « un juste retour des choses » ; elle désigne en fait un grand principe karmique, selon lequel nous récoltons ce que nous avons semé. C'est une loi mathématique qui plonge ses racines au cœur de la réalité. Malheureusement, nous ne comprenons pas bien ce principe, parce que nous n'avons pas toujours l'occasion d'être témoins de son infaillibilité. Mais soyez assuré que le mal est toujours puni et le bien toujours récompensé.

Dans le même ordre d'idée, combien d'entre nous gaspillent leur temps et leur énergie à pester contre ce que les autres leur ont fait ? Ce que le tumulte de nos émotions et pensées nous cache, c'est que nous sommes les prisonniers secrets de tous ceux que nous aimerions punir. Et plus notre désir de punir ces personnes est puissant, plus il dévore notre liberté d'être en paix avec nous-mêmes.

Voici donc une merveilleuse leçon de justice invisible, suivie d'une explication qui vous aidera à vous libérer de vos idées néfastes de vengeance : ne vous inquiétez pas de savoir si oui ou non votre bête noire sera punie. Pourquoi ? *Parce que quiconque fait du mal à autrui est déjà puni.* Autrement dit, quiconque commet un acte injuste pendant sa vie peut être sûr d'être châtié par les lois célestes qui régissent ces transgressions. Il est très possible que nous ne soyons pas témoins de ce châtiment. Mais il n'en demeure pas moins qu'un système invisible de justice existe. Par conséquent, il n'est pas nécessaire de juger les autres, pas plus que de leur souhaiter de connaître le sort fâcheux qu'ils méritent. Cette notion est en réalité le secret de la liberté, secret qui n'est connu que de quelques initiés. Nous serons heureux de nous compter parmi eux si nous acceptons d'apprendre notre leçon. Voici maintenant quelques faits importants sur ce système invisible qui assure l'égalité de tous.

Tout autour de nous existent des lois invisibles mais puissantes qui régissent toutes les formes infinies de la réalité. Ces forces de justice immédiate ou d'équilibre parfait, si vous préférez, sont toujours à l'œuvre. Rien n'échappe à leur présence imperceptible, tout cède sous le poids de leur jugement.

L'une des raisons pour lesquelles beaucoup d'entre nous ne parviennent pas à reconnaître l'existence de cette justice céleste qui agit en permanence sur notre existence dans le présent – ou à trouver un réconfort dans sa souveraineté perpétuelle – est représentée par notre conditionnement. En effet, nous acceptons difficilement l'idée d'un ordre de justice qui ne réclamerait pas sa *livre de chair*, pour reprendre une métaphore shakespearienne. Pourtant, voici un tout petit exemple de la manière dont ces lois parfaites, en un mouvement toujours égal, punissent les coupables, tout en libérant ceux qui les adoptent : *la tricherie punit toujours le tricheur*. C'est la preuve de cette vérité. Le plus petit acte de malice de notre part a toujours pour origine un conflit secret à l'intérieur de nous-mêmes.

D'autres vérités, qui constituent les fondements de la justice, nous entourent. Il suffit de savoir où regarder en nous. Par exemple, *la haine infecte le cœur de celui qui hait*. Voici un autre principe régi par les mêmes lois, qui nous autorise à avoir pitié de ceux qui accumulent aveuglément pouvoir ou possession, au prix de leur intégrité : *la graine de la cupidité naît toujours de la peur, de sorte que tout ce que nous gagnerons en la faisant germer nous terrifiera encore davantage*.

Ce système de justice englobe bien d'autres vérités. C'est notre fenêtre intérieure vers ces lois incorruptibles qui nous démontrent la sagesse de l'idée universelle :

Libérons-nous, laissons Dieu nous libérer.
L'amour de Dieu adoucit toute l'amertume.
En nous corrigeant, nous nous élevons.

Toutes ces vérités, ainsi que leurs fascinantes implications, démontrent l'existence d'un grand système universel de justice invisible, qui applique les lois des Éternels invisibles. Et si nous y regardons de plus près, jusqu'au cœur de ces nouvelles découvertes, nous y trouvons la promesse d'un merveilleux soulagement. Nous serons à jamais libérés du conflit que provoque en nous le désir malsain de punir ceux qui nous ont blessés. Nous pouvons nous débarrasser de tous nos souhaits de vengeance, car nous savons désormais comment fonctionnent les rouages de l'univers. En nous laissant prendre au piège du conflit, en essayant vainement de corriger le comportement néfaste de quelqu'un d'autre, nous ne faisons qu'ouvrir la porte aux problèmes et laisser la douleur envahir notre vie.

Laissons donc ces gens se débattre seuls dans leurs tourments et malheurs, car nous comprenons maintenant que leur nature négative ne fait qu'une avec leur punition. Nous avons également démontré comment le poids que nous aimerions ajouter sur leurs épaules se retrouvera en fin de compte sur les nôtres. En tenant compte de ce degré supérieur de conscience, non seulement nous nous libérerons de la douleur initiale qu'engendre notre réaction négative au comportement d'autrui, mais encore nous ne perdrons pas notre temps à essayer de corriger quelque chose dont la correction a déjà commencé ! Dès que nous cesserons de nous investir dans des jugements gaspillés et dans les soucis sans fin qui les accompagnent, nous découvrirons non seulement que nous sommes libres, mais encore qu'il n'existe, dans l'univers, aucun pouvoir assez fort pour nous emprisonner de nouveau.

Trouvez la moitié manquante de votre épanouissement personnel

Q : Quelque chose m'a toujours troublé à l'idée de vivre dans la sécurité et le refuge du présent. Je sais que les principes éternels sont réels et puissants en eux-mêmes, mais lorsqu'il s'agit de les appliquer à ma situation, c'est comme si j'essayais de faire entrer le soleil dans une lanterne que je transporterais toujours avec moi. Il y a certainement ici un aspect que je n'ai pas compris, mais je ne sais pas comment m'y prendre. Où entamer ma quête ?

R : Dans l'évangile apocryphe selon saint Thomas, le Christ dit à ses disciples : « Connais Celui qui est devant ton visage, et ce qui t'est caché te sera dévoilé : car il n'y a rien de caché qui ne se manifestera. » Cela peut-il vraiment être aussi simple ? Examinons l'un de ces principes éternels, qui traverse, invisible à nos yeux, le cœur du présent. L'étincelle fugitive de sa présence perpétuelle dans notre vie nous aidera à comprendre la force dont nous avons besoin pour nous libérer et vivre sans peur dans le présent.

Certains jours plus que d'autres, bien que le sentiment ne nous quitte jamais tout à fait, nous éprouvons un sentiment particulier, celui que quelque chose manque à notre vie. Cet état indésirable qui vient parfois nous hanter ne respecte ni l'heure ni le jour. Il peut surgir en plein milieu d'une fête organisée pour notre anniversaire ! Et à l'instar des bougies magiques qu'il est impossible d'éteindre, qui se rallument d'elles-mêmes au bout de quelques instants, rien de ce que nous faisons ne semble être suffisant pour atténuer la douleur sourde qui nous étreint. En vérité, quelque chose nous manque bel et bien, quelque chose de vital, qui n'est pas seulement essentiel à notre bonheur, mais aussi à l'épanouissement de notre âme.

Ce qui signifie que nous perdons ainsi au moins la moitié de notre vie ! En d'autres termes, plus de la moitié de ce qui nous arrive pendant notre vie est constitué d'éléments indésirables, que nous rejetons, que nous refusons et qui, par conséquent, sont perdus corps et biens. Quelle est cette moitié manquante ? L'histoire qui suit vous fournira une réponse surprenante, qui vous aidera à comprendre comment transformer les principes éternels en véritable puissance spirituelle.

Il y a très longtemps, bien avant que le monde ressemble à ce que nous connaissons aujourd'hui, il existait sous une autre forme, très différente. Des forces invisibles présidaient à l'apparition de conditions de vie et de créatures dont elles étaient des formes nouvelles, un peu comme les graines que nous semons sont déjà les fleurs et les fruits qu'elles vont engendrer.

C'était l'âge de formation du monde. Tout se passait bien. Chaque créature était unique en son genre, elle vivait dans des conditions nouvelles, qui n'appartenaient qu'à elle. Toutes les créatures qui suivraient porteraient la marque de l'expérience de leur prédécesseur, lui-même né de sa relation avec ce nouveau monde. Tout était beau et bon. Mais ce n'étaient pas toutes les créatures qui savaient cela. Et c'est ici que commence notre histoire.

La première grande salamandre bleue était soucieuse, car la situation lui semblait dangereuse. Dès le moment où elle avait pris conscience d'elle-même dans ce monde étrange, elle avait jugé le soleil trop chaud pour sa peau fine et la surface rugueuse du rocher sur lequel elle se tenait blessait ses pattes encore fragiles. Mais il y avait pire. Elle savait instinctivement qu'elle était loin d'être la seule créature en train de rôder sur le rivage du grand lac et que, pour certains de ses voisins, elle représentait un premier repas ! Pourtant, aussi dangereuses que fussent ses conditions de vie, elles ne l'inquiétaient guère. Il y avait autre chose.

Son sentiment croissant de se trouver exposée aux éléments était aiguisé par la crainte de vivre en plein air. Mais le choix était simple : soit elle demeurait sur son rocher, à la vue du premier prédateur qui passerait par là, soit elle plongeait dans les vagues noires qui venaient se briser au pied de la falaise. Son désir de s'immerger luttait contre la peur de ce monde liquide qui lui était inconnu.

Elle n'avait d'ailleurs pas la moindre idée de ce qui l'attendait dans ces eaux sombres. Que lui arriverait-il si elle tombait accidentellement à l'eau ? Elle eut la seule réaction qui lui vint à l'esprit : elle continua de s'apitoyer bruyamment sur son sort, en espérant contre tout espoir que quelque chose viendrait atténuer l'injustice de la vie dans ce nouveau monde.

Quelqu'un entendit ses lamentations.

La salamandre ne perçut pas l'approche du premier bélier doré. Heureusement pour elle, il venait simplement s'enquérir de l'origine du vacarme. D'ailleurs, la salamandre était tellement occupée à se lamenter que, lorsque l'arrivant interrompit son monologue larmoyant, elle sursauta de frayeur.

« Excusez-moi de vous déranger, dit-il, mais que se passe-t-il donc ? Ne savez-vous pas que vous êtes en train de briser le premier silence ? Sans compter que vous risquez d'attirer sur vous l'attention de créatures que vous préféreriez certainement tenir à distance », ajouta-t-il en lançant des coups d'œil furtifs sur les côtés.

La salamandre demeura bouche bée à la vue de cet impressionnant visiteur penché sur elle. Mais l'expression de ses yeux était si douce qu'elle comprit immédiatement n'avoir rien à craindre de la créature dorée aux immenses cornes. Du coup, elle vida son cœur, sans se préoccuper de la réaction du visiteur.

« J'en ai plus qu'assez d'avoir peur », répondit-elle. Puis, sentant instinctivement qu'il comprenait ce qu'elle-même n'avait pas encore réussi à s'expliquer, elle ajouta : « Je suis désespérée. J'ai cherché partout, je n'ai trouvé aucun refuge. Je ne suis en sécurité nulle part. » Elle poursuivit d'une voix si faible que les mots se fondirent dans le bruit des vagues qui battaient le pied du rocher. « Je crains bien qu'il n'existe aucun abri… »

Le grand bélier souffla bruyamment. C'était le premier soufflement du monde, qui les fit sursauter tous les deux. « Je comprends que vous soyez effrayée, mais vous n'avez aucune raison de l'être. » Il secoua sa grande tête dorée d'un côté puis de l'autre, comme pour bien insister avant de répéter : « Non, il n'y a vraiment aucune raison d'avoir peur. »

La salamandre le regarda, essayant de comprendre ce qu'il voulait dire, mais le regard doré semblait fixé dans le lointain. Puis, un instant plus tard, sans attendre la réaction de sa nouvelle voisine, le bélier s'éloigna tranquillement.

Pour la salamandre, c'était le comble. En eût-elle eu le temps, elle serait montée sur ses (premiers) grands chevaux ! Mais soudain arriva le premier crépuscule et l'obscurité ne tarda pas à envelopper toute la création dans une couverture mystérieuse. La salamandre, incapable de distinguer le monde qui l'entourait, se mit à frissonner d'angoisse. Non seulement elle se sentait en danger, mais encore elle ne savait même pas dans quelle direction elle devrait aller pour échapper à ce danger. Que faire ? Elle sentit une force monter en elle et, prenant une grande respiration, elle fit un grand bond en avant.

Quelques jours plus tard, le bélier doré se retrouva de nouveau à proximité du rocher baigné de soleil où il avait fait la connaissance de la salamandre bleue. Il gambadait allègrement, car durant ses promenades il avait assisté avec joie à la naissance de multiples merveilles. Il espérait bien voir la salamandre. Peut-être avait-elle elle aussi été témoin de ces métamorphoses extraordinaires. Il comprit que son espoir était justifié dès qu'il l'aperçut en train de lézarder tranquillement sur le rocher.

« Eh bien, que vous avais-je dit ? Vous avez l'air bien heureuse. On pourrait presque croire que vous n'êtes pas la salamandre bleue que j'ai rencontrée ici il y a quelques jours ! »

La salamandre lui sourit. C'était bien elle. De toute façon, tous deux le savaient. Il poursuivit : « Dites-moi donc ce qui vous est arrivé. Vous avez l'air très bien dans votre peau et entièrement satisfaite de votre nouveau domicile. »

Elle se souleva légèrement pour mieux lui faire face. Bien qu'elle le soupçonnât de connaître déjà son histoire, elle avait envie de voir l'expression sur son visage doré tandis qu'elle lui narrerait ses aventures. Elle respira profondément et lui dit : « Je ne sais pas très bien comment vous décrire ce qui m'est arrivé... En bref, je me suis noyée. »

« Noyée ? s'exclama-t-il avec une surprise feinte. Comment est-ce possible alors que vous êtes ici devant moi, plus vivante que la première fois que je vous ai rencontrée ? »

La salamandre scruta avec attention l'expression mi-moqueuse du bélier pour s'assurer qu'il savait exactement à quoi elle faisait allusion. Puis, consciente de partager un moment d'agréable intimité avec lui, elle poursuivit son récit.

« Incroyable, n'est-ce pas ? » acquiesça-t-elle. Et il hocha sa grande tête dorée. « Un peu après que vous m'avez quittée, dans la chaleur de ce terrible premier jour, tout s'est obscurci autour de moi. Je me suis sentie si faible, si seule, si ignorante de mon avenir, que je ne savais plus quoi faire. Mon unique pensée était que j'allais mourir. Alors, au lieu de rester ici sans défense, à attendre l'inévitable, j'ai pris les choses en main. »

Elle prit une grande respiration. Le bélier constata qu'elle revivait le moment en question. « J'ai rassemblé mes forces et j'ai sauté aussi loin que j'ai pu dans les eaux qui s'ouvraient devant moi. »

Elle s'interrompit un instant, avant de poursuivre d'une voix plus sereine.

« J'ai coulé à pic. »

« Et alors ? »

« C'est étrange, répondit-elle, je suis restée assise au fond de l'eau froide et obscure, en essayant de retenir ma respiration aussi longtemps que possible. J'attendais la fin, tout simplement. »

« Ensuite ? interrogea le bélier. Continuez ! »

La salamandre eut un grand sourire. « C'est justement le nœud de l'histoire. La fin n'est pas arrivée. Et au bout d'un moment, je n'ai plus eu d'autre choix que d'essayer de respirer. À ma stupéfaction, j'ai constaté que je respirais aussi bien sous l'eau que dans l'air ! »

Elle vit, au sourire du bélier, qu'il comprenait parfaitement l'aventure qu'elle avait vécue. Et bien qu'elle sût instinctivement qu'il en connaissait aussi le dénouement, elle poursuivit. C'était pour elle un moyen de le remercier.

« Et aujourd'hui, je suis aussi à l'aise dans l'eau que sur terre. »

Ce petit conte sert d'illustration à une importante leçon spirituelle. Tout comme notre héroïne amphibie a découvert qu'elle appartenait à deux mondes différents, qu'elle pouvait respirer dans l'eau comme sur terre, et qu'elle n'avait plus besoin de vivre dans la peur de n'exister que dans un seul monde, *notre vraie nature nous a créés pour que nous puissions vivre dans deux mondes*.

Revendiquez votre droit céleste d'exister

D'un côté, nous avons été créés pour vivre notre existence matérielle dans le monde du temps qui passe. C'est celui que nous connaissons tous, le royaume dans lequel nous vivons la naissance et la mort de tout ce qui nous touche, du plus banal de nos intérêts – ces passions qui vont et viennent – jusqu'à notre vie même. Notre être physique est entraîné le long d'un cours d'eau invisible dont les méandres infinis nous transportent vers l'incertitude que ce degré de soi doit, semble-t-il, supporter. Mais nous possédons une autre nature, qui nous permet, du moins si nous revendiquons ce droit céleste, de vivre dans un autre monde traversé par la rivière du temps. Cet autre monde, c'est le royaume invisible du présent intemporel.

En nous éveillant à ce droit céleste, nous recevons un précieux cadeau, celui d'être capables de comprendre que nos soucis et craintes ne sont que les résultats négatifs d'une perception erronée de nous-mêmes, de l'idée que nous sommes beaucoup moins que ce que nous sommes en réalité. Mais avant d'espérer trouver notre place dans cet abri secret, dissimulé dans le degré supérieur de conscience, nous devons accomplir un travail intérieur très spécial. Comme l'enseignait le regretté philosophe Vernon Howard à ses étudiants : « Nous sommes destinés à jouir du meilleur des deux mondes. Pourtant, nous n'avons que le pire d'un seul et rien de l'autre ! » Notre tâche, si nous souhaitons nous éveiller à une vie sans peur, sera de comprendre pourquoi il avait raison.

J'ai commencé ce chapitre en affirmant que nous ne vivions que moins de la moitié de notre vie. Essayons maintenant d'illustrer cette idée surprenante. En principe, ce que nous appréhendons le plus dans la vie, c'est de voir disparaître quelque chose dont nous avons encore besoin. Autrement dit, le seul moment où nous acceptons volontiers de perdre quelque chose, c'est lorsque notre intérêt s'est dissipé ou qu'un nouvel intérêt est apparu.

Pourtant, nous disposons de la preuve accablante que la vraie vie ne se déroule pas de cette façon. La réalité se moque bien de savoir si nous aimons ou non sa manière de régir le calendrier invisible. En dépit de nos désirs, la fin arrive lorsque le moment est venu et non lorsque nous en décidons. Et si vous n'avez pas encore assimilé cette importante leçon, la moitié du grand cycle de la vie, y compris la part que nous en détenons, est remplie de la fin de toutes choses.

Je reformulerai donc ce que j'ai affirmé au début du chapitre : *nous passons au moins la moitié de notre vie à ne pas vouloir cette vie*, ce qui signifie que nous en manquons effectivement la moitié ! Pourquoi donc ?

Ce principe est-il immuable ? Pourquoi y a-t-il quelque chose en nous qui considère la fin de toutes choses dans notre vie comme si terrifiante que nous rejetons la moitié de notre vécu ? Voyons si l'explication qui suit nous aide à résoudre cette énigme.

La raison pour laquelle nous résistons à l'idée de voir se terminer ce à quoi nous tenons et avons l'impression qu'on nous a volé quelque chose est la suivante : c'est parce que ces moments indésirables laissent un vide en nous-mêmes. En vérité, c'est cette sensation de vide universel que nous détestons et non le changement même. Par conséquent, notre douleur n'est pas véritablement engendrée par la fin, mais par la sensation de vide que cette fin provoque en nous et à laquelle nous ne sommes guère préparés. Nous nous trouvons face à un grand vide au centre de notre cœur, que nous croyions pourtant bien rempli. Et c'est alors que nous commettons une erreur courante, dont peu de gens ont conscience.

Plutôt que d'affronter ce vide qui semble capable de nous avaler tout entiers, nous préférons adopter la solution qui nous semble être la seule possible dans des circonstances aussi fâcheuses. Nous commençons aussitôt à rechercher de nouveaux moyens d'emplir notre cœur. Vous connaissez le refrain : il faut chercher quelque chose ou quelqu'un afin de vivre un nouveau commencement. Nous sommes prêts à tout pour combler le vide. Mais ces mesures ne résolvent rien, c'est bien là le hic. À moins, naturellement, que nous ne soyons persuadés qu'en essayant de combler à chaque reprise le vide de notre âme nous finirons par retrouver notre plénitude.

Peut-être vous demandez-vous : « Si je ne fais rien pour atténuer mon sentiment de vide, que se passera-t-il ? Si je ne fais pas un effort, comment pourrais-je me retrouver tel que j'étais ? » Notre expérience devrait nous dicter la réponse suivante : le sentiment général de paix, de bonheur et de satisfaction n'est pas le fruit d'activités destinées à combler notre vie intérieure. Au contraire, nous devrions comprendre que la plénitude apparaît *d'elle-même* en nous.

Un peu comme les champs jonchés de fleurs sauvages ne peuvent étancher leur soif qu'au moment des pluies printanières, notre vide ne peut être comblé que par la main légère de la vie céleste, qui l'a elle-même fait naître au départ. Pourquoi sommes-nous créés afin de ressentir un vide apparemment insondable au fond de nous-mêmes ? Parce qu'en apprenant à connaître la moitié sombre de la lumière vivante nous pourrons, de notre plein gré, étancher notre soif, nous emplir des eaux donneuses de vie qui jaillissent de sa source éternelle.

Notre véritable Soi constitue en partie un terrain secret sur lequel se déroule un cycle éternel de flux et de reflux, de plénitude et de vide, tout comme la fonte des neiges dévale des montagnes pour emplir les lacs assoiffés par le passage de l'été.

Mais la plus grande partie de notre Soi originel est représentée non par les montagnes et les lacs, mais par l'étendue du paysage au sein duquel ils existent. En effet, bien que la ronde des saisons se poursuive sans répit, apportant des changements sur une petite échelle, rien ne bouge à la grande échelle du temps qui passe. Notre vraie nature vit dans le présent, toujours en pleine évolution, certes, mais aussi immuable. C'est cette immense contrée de conscience supérieure, grâce à laquelle nous accueillons amicalement toutes les formes de plénitude comme de vide, au lieu de prendre les unes pour des amies et les autres pour des ennemies.

Si nous nous éveillons à une relation consciente avec ces forces jaillissantes qui coulent dans les veines de notre véritable nature, si nous comprenons que cette conscience, seule, est capable de nous libérer de notre terreur du vide, ce qu'on attend de nous devient alors très clair : nous devons cesser de vouloir créer des conditions par lesquelles nous espérons échapper à cette terreur. Nous devons nous laisser glisser volontairement dans les eaux noires de nous-mêmes, où, si nous nous installons tranquillement, nous nous éveillerons dans l'atmosphère sereine d'un nouveau monde. Grâce à notre audace spirituelle, nous acquerrons une connaissance intime de ces forces éternelles et invisibles qui sont à l'œuvre en nous. L'une nous vide tandis que l'autre arrive pour emplir l'espace de sa présence nouvelle. Si ces paroles vous semblent prometteuses, c'est parce qu'elles le sont. Tandis que la connaissance inappréciable née de la conscience supérieure grandira en nous, nous comprendrons que la liberté que nous cherchons se trouve déjà partout. Nous ne craindrons plus la fin de toutes choses, parce que nous aurons compris qu'en nous-mêmes la réalité de notre vraie nature est aussi infinie que le commencement du monde.

Le mot du maître

Q : Pourquoi lutter, comme vous le suggérez, à essayer de découvrir et de comprendre ces forces éternelles et invisibles, alors que le monde que nous connaissons est déjà empli de possibilités ?

R : *Une goutte d'éternité pèse plus lourd qu'un vaste océan de possibilités finies.*

KARL BARTH

Q : À quoi puis-je m'attendre lorsque j'aurai commencé à me libérer et à vivre au présent ? Que se passera-t-il lorsque je me livrerai au travail intérieur qui comblera automatiquement le vide en moi au lieu de m'obliger à tout faire pour combler ce vide ?

R : *Dès l'instant où nous avons décidé de considérer Dieu par-dessus tout le reste, nous abandonnons le défilé du monde matériel. Nous acquerrons une nouvelle perspective, une nouvelle psychologie naîtra en nous. Un nouveau pouvoir commencera à nous surprendre, par son émergence et son jaillissement.*

A.W. TOZER

Récapitulation des points principaux

1. Chaque fois que nous faisons de notre mieux et donnons tout ce que nous avons à donner, même si le résultat est loin d'être parfait, ce moment s'efforce de nous attirer dans sa perfection originelle. C'est seulement en apprenant à tolérer nos imperfections que nous comprendrons que la perfection est elle-même notre guide et notre maître.

2. Si nous nous demandons : « Mais qu'ai-je donc fait pour mériter cela ? », cela veut dire que nous avons oublié que nous avons réclamé ce que nous recevons avec chaque pensée et chaque sentiment. Notre attention anime et donne vie à tout ce que nous avons à l'esprit, exactement comme l'état d'une plante révèle toujours le type de graine qui a été semé.

3. Tout comme le soleil s'éveille pour emplir une aube grise de ses doux rayons dorés, la lumière vivante de la vérité descend dans l'âme ouverte, transformant les éléments matériels en un temple spirituel éblouissant de l'éclat éternel de Dieu.

4. Rien, dans l'univers, ne peut bloquer la volonté d'être libre. Cela signifie que, pour ceux d'entre nous qui souhaitons connaître la liberté, il ne s'agit pas de lutter contre ce que nous considérons comme notre geôlier, mais plutôt d'apprendre à agir dans la nature du Soi souverain que nous aimerions être. Car lorsque nous adoptons la personnalité de la liberté, nous en acquérons les pouvoirs. Cette libération nous élève hors d'atteinte de tout état destructeur.

5. Lorsque nous comprendrons, enfin, qu'il n'existe aucun endroit vers lequel nous courons qui n'est déjà en train de disparaître, qu'il n'existe aucun endroit où nous acceptons de demeurer qui n'est pas déjà en train de recommencer en lui-même, alors nous serons enfin parvenus là où notre cœur ne demande qu'à être.

Chapitre huit

Cours avancé de vie au présent

Que pourrait-il y avoir de plus naturel que la libération de soi ? Songez-y. Si, comme nous l'avons vu au chapitre précédent, nous consacrons la moitié de notre vie à des moments qui représentent une fin naturelle, que faisons-nous ensuite de tout ce qui, dans notre vie, ne nous sert plus à rien ? La réponse ? Nous en débarrasser ! Sinon, nous risquons d'y laisser notre santé.

Imaginez un arbre qui s'identifierait tellement à son feuillage vert que, dès le premier frisson automnal, il déciderait de conserver tout ce qu'il possède déjà : « Après tout, se dirait-il, et si le printemps ne m'apportait rien d'aussi beau que ce que je possède déjà ? Pourquoi laisserais-je partir mon magnifique feuillage ? » Lorsque la neige arrive, l'arbre qui a voulu à tout prix conserver son feuillage commence à ployer et à se fendre sous le poids d'une charge que son tronc et ses branches n'ont pas été conçus pour supporter. La morale de cette petite histoire est simple : nous n'avons pas été créés pour transporter le poids de la terre entière – tout notre vécu, tous nos souvenirs, tout notre passé – sur nos frêles épaules.

La libération représente la soupape de sécurité de l'univers. Elle fait partie d'un cycle naturel relié à un tout, dans lequel la fin signifie déjà le recommencement. Tout comme nous devons expirer l'air que nous avons dans les poumons avant d'inspirer l'air frais qui revitalise notre organisme, nous devons apprendre à nous débarrasser de tout ce qui met en danger la plénitude naturelle de notre Soi originel afin de lui permettre d'atteindre la satisfaction spirituelle à laquelle il a droit.

De quoi s'agit-il exactement ? Après tout, personne n'a envie de se débarrasser de quelque chose qui s'est révélé satisfaisant ! Ce dont nous devrions nous libérer, c'est de ce qui ne nous convient plus : des relations déplaisantes ou perturbatrices, un passé douloureux, un futur angoissant, toute forme d'asservissement, de récents événements désagréables, ainsi que tous les sentiments et pensées que suscitent ces aspects déplaisants, dont nous n'avons plus la moindre envie.

En vérité, ces problèmes sont inséparables de la condition humaine. Tous, nous connaissons le désir de nous libérer. Mais pour la majorité d'entre nous, le désir et sa concrétisation se trouvent encore à des années-lumière l'un de l'autre. Pourtant, il est possible de combler ce gouffre, une fois pour toutes, dès que nous aurons compris que tout ce qui nous sépare de notre intention de nous libérer, ce sont ces idées faussées que nous transportons avec nous sur la nature de ce qui pèse sur nos épaules. C'est pourquoi nous devrions faire encore de gros progrès dans la connaissance de soi.

Par exemple, aucun poids pris séparément – événement, relation, pensée, sentiment, regret, etc. – n'est suffisant pour nous faire ployer. Le problème est ailleurs et cela explique peut-être un profond mystère. Pourquoi ne parvenons-nous pas à nous libérer une fois pour toutes, en dépit de tout ce que nous faisons dans notre vie quotidienne pour nous débarrasser de telle situation, de telle ou telle personne, de telle ou telle condition désagréable ? Voici la réponse.

Le processus de libération commence à l'intérieur. Le cas échéant, il peut se poursuivre par un acte extérieur. Après tout, qu'est-ce qui nous enchaîne, sinon notre incapacité de discerner le besoin inconscient d'entretenir ou de nouer des relations douloureuses ? Cette découverte nous aide à comprendre pourquoi personne ne peut voir la lumière à notre place. Ce n'est pas en abandonnant d'une main ce que nous retenons de l'autre que nous parviendrons à nous libérer ! C'est pourquoi tout enseignement spirituel véritable a un double objectif : 1) nous révéler que nulle situation n'existe à l'exception de la conscience responsable de sa création ; 2) illuminer de cette connaissance supérieure de soi les recoins encore sombres de notre conscience, afin que nous ne commettions plus l'erreur de nous raccrocher à ce qui pourrait compromettre notre intégrité.

Voici une petite anecdote qui vous permettra de mieux assimiler votre leçon de libération. Son heureux dénouement nous enseignera tout ce que nous avons besoin de comprendre pour nous débarrasser des états ténébreux qui s'efforcent de nous attirer vers le gouffre.

Prenez consciemment en main les forces qui régissent votre vie

L'été avait été inhabituel, ponctué d'orages, de tempêtes et de giboulées qui surgissaient de nulle part. Beaucoup de familles de pêcheurs, le long de la côte, avaient du mal à joindre les deux bouts. Hector et ses parents, notamment, se trouvaient dans une situation précaire.

Le père et le grand-père d'Hector avaient passé leur vie à pêcher au filet les petits poissons qui pullulaient le long des côtes rocheuses de leur pays. Mais des conditions déplorables sévissaient depuis quelque temps. Personne ne se souvenait d'avoir vécu des moments aussi dramatiques. Toutes les familles dont la survie dépendait de la mer se trouvaient dans la même situation. Après un coucher de soleil flamboyant (en général, bon signe pour le marin), les pêcheurs partaient à l'aube. Puis, surgie d'on ne savait où, une tempête rendait la pêche impossible sur les hauts-fonds, car les vagues faisaient chavirer facilement les petites barques chargées de filets.

Les temps étaient donc difficiles pour Hector, sa famille et tous les autres habitants du village, à une exception près : un vieil original qui vivait seul dans la baie de Cristal, une petite anse tranquille, dissimulée à la vue du village par un promontoire rocheux. Chaque jour, tempête ou non, le vieux pêcheur arrivait au village, sa charrette pleine à ras bord de poissons, son éternel couvre-chef de paille élimée sur la tête, qu'il fît ou non soleil.

Naturellement, les rumeurs allaient bon train. Certains prétendaient qu'il s'agissait d'un enchanteur. Et bien que la plupart des hommes brûlassent d'envie de lui demander par quel sortilège il parvenait à prendre du poisson alors que personne n'osait sortir les bateaux du port, les gens le laissaient généralement tranquille, persuadés que le malheureux avait un grain. Un jour, après une série de tempêtes fracassantes, Hector se réveilla tôt et décida de sortir sa barque avant que le vent ne se lève à nouveau. Mais il n'avait pas plus tôt hissé une petite voile que d'énormes nuages annonciateurs d'un nouvel orage apparurent à l'horizon. Hector leva les bras au ciel en hurlant : « Mais pourquoi ? Pourquoi ? »

Puis une idée lui vint. Il amarra son bateau, sauta à terre et s'engagea sur le chemin qui menait à la baie de Cristal, là où vivait le vieil homme. Peut-être n'était-il pas aussi fou qu'on le croyait. Peut-être savait-il quelque chose que les autres habitants du village ignoraient. Il n'y avait qu'un moyen de l'apprendre. Dix minutes plus tard, tandis qu'Hector franchissait le promontoire rocheux qui surplombait la petite anse, la tempête éclata.

Trempé par la pluie battante, Hector se dit qu'il serait sans doute plus sage de faire demi-tour. Après tout, c'était une idée stupide que de rendre visite au vieil homme dans ces conditions. Debout dans le vent glacial, il hésita. Mais au moment où il décidait de retourner chez lui, il aperçut quelque chose que son cerveau se refusa d'abord à admettre. La pluie lui entrait dans les yeux, il voyait mal, mais peu à peu il comprit qu'en fait il ne s'était pas trompé. À environ trois cents mètres du rivage, secouée par d'énormes vagues crêtées de blanc, il distinguait la petite barque du vieillard. Hector écarquilla les yeux. Non seulement la barque, mais aussi le vieux pêcheur.

« Mais est-ce que j'ai la berlue ? » s'interrogea Hector. Il n'en croyait pas ses yeux. En plein cœur de l'océan déchaîné, le vieux pêcheur semblait faire un somme dans sa barque ! À ce moment-là, le vieillard se redressa, étendit les jambes, bâilla, exactement comme s'il se levait de son lit après une bonne nuit de sommeil. Mais ce n'était que le début d'une petite scène qu'Hector n'oublierait jamais.

Le vieillard leva les bras au-dessus de la tête et les tint un moment dans cette position. Hector se demanda à quoi pouvait bien rimer cette comédie. Il ne tarda pas à comprendre. Tandis que le pêcheur abaissait lentement les bras, les vagues qui entouraient sa barque commencèrent à s'apaiser. Un moment plus tard, le soleil perça les nuages. Hector ne put s'empêcher de frissonner. N'était-ce pas incroyable ? Il avait à la fois envie de comprendre ce miracle et de s'enfuir le plus loin possible. Mais il demeura cloué sur place, car, un instant plus tard, un phénomène tout aussi extraordinaire se produisit.

Le pêcheur se pencha, recueillit son filet rapiécé et le jeta dans les eaux désormais tranquilles. Avant même qu'il ait pu couler, le filet s'était rempli de myriades de poissons. Le pêcheur sourit, remonta son filet, mais Hector n'était plus là pour le voir. Il descendait en courant vers le ponton branlant où le pêcheur amarrait habituellement sa barque.

Hector arriva juste à temps pour saisir le cordage élimé que le pêcheur lui tendait. Ils échangèrent un bref sourire, mais aucun des deux ne parla. Après avoir amarré la barque, ils déchargèrent le filet. Hector ne pouvait plus rester coi.

« Veuillez me pardonner, commença-t-il le plus poliment du monde, mais je veux savoir... » Puis il s'interrompit, jugeant le ton de sa voix trop autoritaire. Quelque chose lui dit que ce n'était pas ainsi qu'il devait s'adresser à un homme qui possédait des pouvoirs aussi extraordinaires que le pêcheur. Il respira profondément avant de reformuler sa phrase.

« Je vous jure que mon intention n'était pas de vous espionner, expliqua-t-il. Je voulais seulement vous demander conseil. Mais lorsque je suis arrivé, vous étiez déjà là-bas. » Il désigna la pleine mer avant de prendre une autre profonde respiration et de poursuivre.

« Vous étiez pris dans une tempête qui aurait envoyé par le fond la plupart des bateaux. » Il marqua une pause, revoyant la scène impossible à laquelle il avait assisté. « Mais au lieu de couler, vous avez calmé la mer ! »

Pour la première fois, Hector regarda le vieux pêcheur dans les yeux. Il se sentit attiré vers la quiétude des prunelles gris-bleu, dont la profondeur lui rappelait l'océan. Il avait l'impression d'être arrivé au bord d'un étang magique dont il rêvait de connaître le secret. Le vieux pêcheur le tira de sa rêverie.

« Oh, c'est ça que tu veux savoir ? répondit-il. Mais oui, je crois bien que j'ai dû m'assoupir un moment, car la tempête est arrivée de nulle part. Remarque, poursuivit-il en riant, comme si l'idée lui paraissait comique, les tempêtes arrivent toujours de nulle part, n'est-ce pas, fiston ? »

Hector ne rit pas. Il ne pouvait pas. Le vieux pêcheur se moquait-il de lui ? Il devait bien savoir que les pouvoirs nécessaires pour apaiser une tempête n'avaient rien de cocasse. « Autant lui dire le fond de ma pensée », réfléchit-il. Mais au moment de parler, il comprit que le courage qu'il avait eu un moment plus tôt l'avait abandonné. « Mais enfin, comment avez-vous fait ? » interrogea-t-il timidement, en désignant les eaux apaisées.

« Oh, ça..., répondit le pêcheur... Eh bien, je te l'ai dit. Je me suis assoupi et la tempête m'a pris par surprise... » Mais Hector, débordant d'impatience, l'interrompit.

« Ça, j'ai compris ! Mais ce que je ne comprends pas, c'est comment vous avez été capable de calmer la tempête et de l'empêcher de faire couler votre bateau. Si j'avais ce genre de pouvoir, je pourrais nourrir ma famille ! Je serais l'homme le plus heureux de la terre ! Confiez-moi votre secret, s'il vous plaît ! »

« Mais, fiston, c'est ce que j'essaie de te dire ! Lorsque tu m'as aperçu, je m'étais endormi dans le bateau, la pire des erreurs pour un marin. Mais lorsque je me suis réveillé, j'ai compris que cette tempête n'avait rien à voir avec moi. »

Hector pencha la tête avec attention, pour bien montrer à son interlocuteur qu'il attendait la suite de cette étrange explication. « Et alors... ? » poursuivit-il, suspendu aux lèvres du vieux pêcheur.

« Et alors... quoi ? répondit le vieillard. Que veux-tu savoir d'autre ? Une fois que nous avons compris que ces tempêtes n'ont rien à voir avec nous..., ajouta-t-il en faisant un geste de la main, comme pour balayer un insecte qui l'agaçait, il ne nous reste plus qu'à nous en éloigner tranquillement. »

« Mais comment est-ce possible ? » s'enquit Hector.

Le vieillard le scruta un moment et décida que le jeune homme était sincèrement désireux de savoir. Il s'engagea tranquillement sur le chemin qui menait à sa maison, puis se retourna. « Très bien, dit-il. Tu vas comprendre. N'oublie pas de monter le filet avec toi. Nous allons voir si tu es capable d'apprendre à te débarrasser des tempêtes. »

Au cours des mois et des années qui suivirent, Hector et le vieux pêcheur devinrent d'excellents amis. Lentement mais sûrement, Hector finit par apprendre ce que son cœur désirait tant comprendre.

Si nous avions pu écouter leurs paisibles conversations, tandis qu'ils se promenaient sur la grève ou réparaient leurs filets, nous aurions appris ce secret, qui s'applique à toutes les tempêtes mentales ou émotionnelles, aussi fortes soient-elles : aucune perturbation au monde n'a le pouvoir de faire échouer notre cœur ou notre esprit, à partir du moment où nous comprenons que c'est nous qui donnons à ces tempêtes la force dont elles ont besoin pour nous entraîner dans les abysses. Concrètement, cela signifie que toute perturbation peut être instantanément apaisée, dès que nous lui signifions notre refus de nous laisser perturber. En gardant cette idée spirituellement puissante à l'esprit, continuons de recueillir les faits dont nous avons besoin pour enrayer les tempêtes intérieures.

Le pouvoir d'abandonner les pensées douloureuses et les sentiments négatifs

Tout comme une tempête naît de la collision entre des fronts de températures diverses, il existe en nous des forces qui, lorsqu'elles se rencontrent, produisent des perturbations mentales ou émotionnelles. Notre tâche consiste à prendre conscience de ces forces invisibles qui vivent dans nos recoins les plus sombres. Lorsque nous aurons compris que nulle perturbation ne peut demeurer en nous si nous lui ôtons la puissance dont elle a besoin pour entretenir sa rage, nous disposerons de deux immenses pouvoirs. D'une part, nous saurons apaiser les tempêtes qui naissent dans notre système psychique et, d'autre part, avec le temps et l'entraînement, nous apprendrons à les rejeter loin de nous avant même qu'elles apparaissent !

Quelles sont ces forces à l'œuvre en nous, qui provoquent tant de dégâts ? Nous découvrirons la première en admettant que toutes les tempêtes, dans notre vie, partagent la même cause. Chacune, petite ou grande, s'articule autour de quelque chose qui nous arrive et que nous rejetons, pour une raison quelconque. Les quelques exemples ci-après illustrent ce phénomène. Toutefois, rien ne vaut l'expérience personnelle.

Imaginez une femme prise dans un tourbillon de colère parce qu'elle se refuse à être traitée de telle ou telle manière. Ou un homme qui se sent prisonnier d'un cycle infernal de dépression, parce qu'il ne veut pas continuer à vivre dans telles ou telles conditions. N'est-il pas évident que ces deux tempêtes ont une origine commune ? Elles naissent parce que nos deux personnages résistent inconsciemment à quelque chose qui est déjà arrivé.

Lorsqu'un événement indésirable suscite en nous une certaine résistance, nous finissons souvent par constater que, si nous nous trouvons dans cette fâcheuse situation, c'est justement parce que nous nous sommes obstinés à affirmer qu'elle n'aurait jamais dû se produire. Et que dire des moments où nous nous remémorons des erreurs passées, où nous revivons de douloureux échecs d'il y a dix ans ou de la veille ? Ne sommes-nous pas sûrs que, quelle que soit cette erreur, elle n'aurait pas dû se produire ? Ce qui nous conduit à une idée particulière, qui mérite un moment de réflexion : il nous paraît naturel de résister à ce que notre résistance est incapable de changer !

Qu'est-ce qui se tapit sous cette étrange lutte, ce combat inconscient que nous livrons contre les fantômes qui hantent notre esprit ? Après tout, une fois qu'un événement s'est produit dans notre vie, le moment est passé ; c'est terminé, point final. Il est clair que cela n'existe plus au moment présent. Par conséquent, comment un événement passé peut-il être encore aussi réel, aussi vivant que s'il était en train de se produire ? La réponse à cette question devrait nous aider à vivre dans un monde de quiétude, libéré des tempêtes.

Dans notre cerveau sont emmagasinées des quantités d'images du passé, par voie chimique ou électrique. Parmi elles se trouvent la version intégrale de certaines expériences ainsi que des scènes agréables de moments futurs. Ces images sont les entrepôts secrets de toutes les sensations qui les accompagnaient au moment de leur création. Chacune est chargée de son propre contenu émotionnel, qui se déverse en nous chaque fois que nous le sollicitons. Pour comprendre comment cette séquence psychique se déroule, mettons-nous à la place de Barbara, qui fait du lèche-vitrine dans un quartier chic.

Par exemple, elle aperçoit soudain un chemisier de soie lavande garni de broderie anglaise en solde dans la vitrine de l'un de ses magasins favoris. Instantanément, elle se souvient d'avoir porté un chemisier semblable, il y a bien des années, le soir où son père est décédé. Aujourd'hui, sans même qu'elle s'en rende compte, une onde de nostalgie la parcourt. Pour des raisons qu'elle ne comprend pas vraiment, tandis qu'elle regarde le chemisier qui, elle en est sûre, devrait se trouver dans sa commode, elle commence à songer à la dernière conversation qu'elle a eue avec son père et à ce qu'elle aurait aimé lui dire.

Plus Barbara s'enfonce dans cette mer de regret, plus elle souffre. Elle s'efforce donc de résister à la douleur. Mais c'est justement parce qu'elle y résiste inconsciemment qu'elle se retrouve soudain prisonnière d'une tempête en bonne et due forme, debout sur le trottoir d'une rue élégante. Cela vous rappelle-t-il quelque chose ? Une pensée apparemment inoffensive ouvre les vannes. Et la tornade s'engouffre ! Pourtant, rien de tout cela n'est inéluctable. Pour personne !

Il est temps maintenant d'apprendre à apaiser ces tempêtes avant qu'elles ne nous entraînent dans les abysses. Souvenez-vous des paroles du vieillard de la baie de Cristal. Il a simplement expliqué à Hector, le jeune pêcheur qui souhaitait tant connaître le secret de sa pêche miraculeuse, ceci : « Cette tempête n'a rien à voir avec moi ! » C'est là le sens caché de la déclaration spirituelle qui nous émerveille. Le vieillard nous explique comment utiliser notre nouvelle connaissance pour mobiliser la force dont nous avons besoin, au moment opportun. Si nous nous trouvons pris dans le tourbillon d'une tempête émotionnelle, c'est parce que nous avons été involontairement persuadés de nous identifier à des images mentales du passé, voire à fusionner avec ces images. Malheureusement, comme des bulles temporelles, elles contiennent déjà des pensées et sentiments douloureux qui nous inondent dès que nous leur ouvrons la porte. Lorsque les coups invisibles, certes, mais psychiquement sensibles de ces souvenirs affligeants nous frappent, nous commençons inconsciemment à leur résister. C'est ainsi que nous avons l'impression d'être emportés au cœur d'une tempête sans pouvoir réagir autrement que par la défensive.

Une fois que nous aurons accepté l'idée qui suit, nous n'aurons plus jamais à endurer les coups infligés par ces états négatifs : aucune tempête, aucun tourment émotionnel ou mental *ne peut s'identifier à nous.* La vague de rancœur, d'anxiété ou de peur qui nous balaie n'est rien de plus qu'une sorte de résidu psychique abandonné par le passé. Ces états négatifs n'ont rien en commun avec notre vraie nature ; ils ne peuvent pas non plus entrer dans le présent vivant, là où existe le degré supérieur de conscience.

En d'autres termes, nous ne pouvons être punis par une tempête douloureuse lorsque nous sommes ancrés dans le moment présent.

Cette protection, pure et parfaite, se trouve être d'une simplicité extraordinaire, car les tempêtes psychologiques sont incapables d'introduire leurs forces destructrices et ravageuses dans le havre spirituel du présent. Elles n'ont aucun pouvoir contre sa plénitude originelle, elles ne peuvent y demeurer. Maintenant, résumons brièvement ces importantes leçons.

Nous avons vu que les tempêtes dont nous souffrons ne sont pas simplement nées d'un événement qui se produit dans notre voisinage, mais qu'elles surgissent d'un terrain inconnu au fond de nous-mêmes, parce que nous essayons, sans le savoir, de leur résister. En outre, ces événements indésirables auxquels nous résistons ne sont pas toujours réels. Ce qui nous tracasse, ce sont souvent des images douloureuses de ces événements, que nous avons nous-mêmes fabriquées. Par exemple, cela se produit lorsque nous imaginons un futur difficile ou lorsque nous craignons de perdre quelque chose. Nous souffrons, certes, mais c'est parce que nous regardons ce que nous ne voulons pas voir. Ensuite, parce que ces phantasmes négatifs ont attiré notre attention, nous essayons de trouver le moyen d'échapper à leur présence douloureuse. Mais plus nous luttons pour les faire disparaître, plus nous leur accordons d'attention ! C'est un grand paradoxe : nous conservons devant les yeux ce qui nous dérange, justement parce que nous ne voulons pas le voir. Heureusement, nous commençons à comprendre comment nous extraire de ce piège infernal.

À partir d'aujourd'hui, lorsqu'une tempête menacera de se lever en nous, il ne faudra ni la fuir ni y résister. Au contraire, nous devrons nous éveiller à nous-mêmes, nous transporter au présent, tranquillement et délibérément, abandonner toutes les images que nos pensées suscitent en nous pour justifier le conflit qui s'annonce. Apprendre à apaiser les tempêtes qui nous empêchent d'être heureux exige beaucoup de travail intérieur, mais soyez sûr que cela est possible. Votre vraie nature se trouve déjà hors de portée des tempêtes destructrices. Rejoignez-la dès aujourd'hui !

Dix mots pour vous aider à vous débarrasser d'un état négatif

Rien ne semble plus difficile à accepter que certains de ces faits spirituels auxquels nous nous éveillons. Après tout, qui croirait que nous sommes responsables de tant de souffrances inutiles ? Mais nous commençons à apprendre, grâce à un sincère travail intérieur, qu'il faut absolument remettre en question le refus involontaire et souvent formel d'écouter ce genre d'idées. En vérité, nous sommes la proie de pensées et sentiments invisibles qui nous portent préjudice. En l'absence de la connaissance de soi dont nous avons besoin pour éliminer ces conflits psychiques, comment espérer en finir avec la douleur qui naît au fond de notre âme ? Comment espérer guérir quelque chose que nous allons jusqu'à refuser de regarder en face ?

En revanche, rien n'est plus sain que de nous éveiller à l'idée que nous sommes involontairement responsables de nos souffrances. Nous nous tenons en bonne compagnie lorsque nous acceptons de voir ces vérités en nous-mêmes. Tous les enseignements de la vérité en conviennent : pour nous libérer des comportements compulsifs ou d'autres modèles destructeurs, il faut commencer par admettre que nous avons involontairement encouragé ce qui nous fait souffrir. Oui, s'éveiller à ce conflit invisible en nous est une véritable épreuve, mais le travail intérieur de réalisation de soi est largement récompensé par le fruit de nos efforts. Nous allons voir pourquoi.

Avoir conscience de nous-mêmes est synonyme de vivre au présent. C'est la graine d'une nouvelle action qui germera dans une plénitude inséparable de la liberté à laquelle nous aspirons. Examinons quelques faits à l'appui de ces nouvelles idées.

Si vous observez les animaux sauvages, vous découvrirez une évidence, à savoir que la nature d'un animal et son expérience naturelle de la vie sont indissociables. Par exemple, les cerfs attirent les mouches. En plein cœur de l'été, vous ne verrez pas les uns sans les autres. Les malheureux cerfs en deviennent presque fous, mais ils n'ont d'autre choix que d'endurer ce tourment saisonnier. La nature de l'animal attire à lui les éléments qui définissent sa vie. Cela s'applique aussi, pour une large part, à l'espèce humaine. Notre nature actuelle non seulement attire ce que nous appelons l'expérience de la vie, mais encore détermine la manière dont nous voyons et vivons ces événements.

Peut-être ne croyez-vous pas encore en cette vérité universelle, en l'idée que votre nature intrinsèque détermine votre vécu, mais l'avenir vous le démontrera. Nous avons tous eu l'occasion d'être harcelés par un essaim de pensées et sentiments irritants, nés d'expériences douloureuses et de regrets, sans pouvoir y échapper, à l'exception d'un moment, par-ci, par-là, d'agréable répit. Mais c'est là que la ressemblance entre notre situation et celle de nos frères et sœurs animaux se termine, ou tout au moins là où elle devrait se terminer. L'animal n'a d'autre choix que d'endurer ce que la nature attire autour de lui. Les humains, en revanche, peuvent choisir ce qu'ils reçoivent de la vie, sous réserve, bien sûr, qu'ils acceptent de s'éveiller à leur vraie nature.

Tous, nous avons ressenti, à un moment quelconque de la vie, le besoin silencieux de vivre notre vérité, même si nous n'avons pas vraiment compris de quoi il s'agissait. Par exemple, nous avons tous senti, peut-être intuitivement, que nous n'avions pas été créés pour vivre dans la souffrance mentale, que nous étions destinés à être plus que des victimes impuissantes, condamnées à courber l'échine sous des situations passagères. Notre intuition, nous allons le voir, ne nous a pas trompés.

L'immense intelligence, qui sait équilibrer des systèmes solaires entiers, ne nous a pas créés pour nous laisser nous embourber dans les conflits nés du déséquilibre causé par l'incompréhension de notre nature essentielle ! C'est pourquoi, si nous souhaitons parvenir à dominer un jour notre nature actuelle, ainsi que tout ce qu'elle attire dans notre vie, nous devrons acquérir ce que les plus grands saints et mystiques tenaient en haute estime : la vraie connaissance de soi. Toutefois, il est impossible d'acquérir cette connaissance à partir de sources externes ; elle est le fruit de la découverte de soi. Seuls de véritables changements du degré de compréhension de soi peuvent aider à modifier la nature actuelle, car les deux sont étroitement imbriqués. En changeant l'un, nous changeons l'autre, ce qui nous permet de nous libérer de ce que nous avons attiré dans notre vie.

Il est fort probable que nous connaissions des gens dont les pensées et sentiments inconscients servent à attirer des événements douloureux dans leur vie. En général, ces personnes rendent les autres responsables de leur malheur ou se considèrent comme persécutées par le monde entier. Mais un degré supérieur de compréhension nous aide à déceler le véritable motif de leur infortune perpétuelle, ainsi que le remède spirituel. L'exemple qui suit est destiné à éclairer ce raisonnement tout en faisant la preuve du principal argument de notre étude, à savoir : *c'est grâce au pouvoir que nous acquerrons pour distinguer le réel que nous parviendrons à nous libérer des illusions douloureuses qui essaient de nous emprisonner.*

Imaginez un enfant seul dans une chambre obscure pendant la nuit. (Si cela vous rappelle quelque chose, c'est encore mieux !) Un véhicule lourd passe dans la rue, la lumière de ses phares balaie la fenêtre de la pièce, faisant surgir une ombre monstrueuse sur le mur opposé. L'enfant, éveillé par le grondement du moteur, ouvre les yeux pour voir une forme menaçante courir d'un coin à un autre. Et parce qu'il ne comprend pas encore ce qu'il voit, son jeune esprit est inondé de frayeur. Un instant plus tard, il pousse involontairement un cri perçant.

Les parents se précipitent dans la pièce obscure en se demandant ce qui a bien pu arriver à leur enfant. Il ne leur faut que quelques minutes pour élucider ce mystère. Le père explique :

« Fiston, le monstre que tu as vu plonger dans ce coin sombre et disparaître n'est autre qu'une ombre. Bien que les ombres paraissent réelles, elles n'existent pas véritablement et, donc, ne peuvent pas te faire de mal. Aimerais-tu que maman et moi te fassions une démonstration ? » L'enfant hoche timidement la tête.

Après avoir éteint la lampe de chevet, le père allume une petite lampe de poche, devant laquelle il pose la main ouverte. Soudain, une ombre menaçante apparaît sur le mur. « Et maintenant, regarde bien, dit-il. Ta mère et moi allons te montrer un véritable tour de magie. »

À ce moment-là, la mère allume le plafonnier et l'ombre se dissipe. Puis, d'une voix amusée, elle poursuit la démonstration entamée par le père.

« Où est donc partie cette ombre effrayante ? Tu vois bien, mon chéri, une ombre n'est rien. Elle nous paraît réelle parce que quelque chose, en nous, a peur d'elle. Mais maintenant, tu as compris... une ombre est incapable de te faire du mal. »

L'enfant sourit et les parents comprennent alors qu'il a bien assimilé la leçon. Il a été libéré de sa peur. Les parents l'embrassent, lui souhaitent une bonne nuit, éteignent le plafonnier et quittent la pièce, non sans laisser la porte légèrement entrouverte. Ils retournent à leur chambre en échangeant un sourire, car ils savent que leurs efforts porteront fruit. L'enfant s'est rapproché de la liberté qui naît lorsque nous parvenons à faire disparaître les ombres effrayantes.

Tout comme ces parents attentifs s'assurent que leur enfant ne sera plus jamais tourmenté par la présence d'une ombre mystérieuse, la vérité vivante nous instruit de prendre possession de notre cœur et de notre esprit. Voici ce qu'elle aimerait nous faire comprendre : *les pensées ne sont que des ombres*. Elles n'ont aucune substance, autre que celle que nous leur donnons, lorsque nous les voyons apparaître sur les parois de notre esprit embrumé. Un nouvel exemple illustrera cette leçon.

Un homme aperçoit devant lui un couple qui tourne le coin de la rue. Pendant un instant, il croit avoir vu la femme de sa vie marcher main dans la main avec un étranger ! La peur et l'angoisse l'étreignent. Il essaie de les rattraper en courant afin d'avoir confirmation de ce qu'il craint d'imaginer. Voyons cela de plus près. Ce que cet homme voit, dans son esprit, pendant qu'il court, n'est pas le coin de rue plein de monde qu'il a aperçu un moment plus tôt. Il ne voit rien d'autre que les images destructrices que ses pensées ont dessinées dans son esprit, les images de ce que sa vie sera dès qu'il aura tourné le coin et que sa plus terrible frayeur se trouvera justifiée ! Tous, nous avons vécu ce genre de cauchemar.

Cette angoisse nous semble réelle parce qu'elle naît de son identification avec des images effrayantes qui passent devant le regard de l'esprit. Ces images ne sont toutefois que des créations artificielles de notre imagination en délire. Elles sont toujours mensongères. Imaginons que la femme aperçue par notre personnage ait été une inconnue et non sa conjointe. Certes, il s'agit là, me direz-vous, d'un heureux dénouement. Pourtant, ce n'est pas vers cela que tend notre leçon spirituelle. C'est vers un dénouement encore plus heureux.

Lorsque nous nous remémorons un événement douloureux, qu'il ait eu lieu trois minutes ou trente ans auparavant, nous ne voyons en réalité que l'ombre de ce qui était, soit quelque chose qui n'existe plus. Malheureusement, ces pensées, ces ombres des expériences passées, semblent avoir une vie bien à elles, car chacune transporte une pleine cargaison d'émotions, aussi vivantes que lorsque l'événement s'est produit. Pour nous libérer des souffrances inutiles qui nous accablent, nous devons commencer par comprendre la vérité de cette dynamique interne. C'est l'étape qui nous mènera vers le point crucial de notre étude.

Quelle qu'en soit la cause, lorsque la roue de la fortune se grippe ou lorsque nos souvenirs nous font revivre un malheur, la douleur que nous sentons en nous est authentique. C'est la véritable cause de la souffrance qui est un mensonge. Est-ce possible ? Allons plus loin. Une simple question nous permettra d'élucider ce mystère si nous osons y répondre avec toute la franchise dont nous sommes capables : s'il n'y avait pas quelque chose en nous qui souhaite faire revivre ces vieilles images douloureuses, nous remémorer leurs élancements familiers, emprunterions-nous la voie de la souffrance ? La réponse, dites-vous, devrait être négative ! Ce qui nous conduit à une autre question tout aussi importante : qu'est-ce qui, dans notre nature actuelle, nous incite à nous remémorer ces scènes douloureuses et à revivre les souffrances qui y sont emmagasinées ?

Nous découvrirons la réponse lorsque nous examinerons la manière dont nous réagissons habituellement à toute forme de douleur psychologique qui surgit dans notre conscience. Nous cherchons toujours à effacer la douleur en recherchant son origine. Mais, comme nous allons le découvrir, notre comportement habituel fait partie intégrante de notre souffrance inconsciente. En effet, nous sommes convaincus que, pour échapper à la douleur, nous devons trouver le moyen de résoudre le problème qui en est la source. Nous n'avons, semble-t-il, pas d'autre choix que de ressasser les mêmes images de désespoir qui ont engendré cette douleur ! N'est-ce pas là un beau cercle vicieux ? Imaginez que vous soyez en train de regarder un film d'horreur. Une scène terrifiante surgit sur l'écran ; vous fermez les yeux pour y échapper. Mais plus vous essayez d'y résister, plus elle semble se graver dans votre esprit.

Pourtant, nous savons maintenant que cette douleur, ainsi que les éléments inconscients de nous-mêmes qui se sont toujours précipités pour répondre à son appel, n'est rien de plus que l'écho d'une époque depuis longtemps révolue. Nous avons appris qu'il n'existait qu'un seul traitement suffisamment puissant pour éliminer complètement ces douleurs récurrentes. Nous devons les affronter en sachant qu'elles n'ont plus le pouvoir de nous tourmenter comme autrefois.

Nous sommes maintenant prêts pour l'étape suivante. Notre étude nous a spirituellement préparés à cette importante leçon. Lorsque nous sentons l'obscurité nous envahir, nous devons mobiliser le courage nécessaire pour douter consciemment de la réalité de la situation, même si nos sentiments s'efforcent de nous convaincre de leur authenticité avec toute l'énergie possible. Nous sommes désormais capables de le faire. Nous avons compris qu'il n'était plus nécessaire de croire aux fantômes, encore moins d'écouter le cliquetis de leurs chaînes ! Grâce à notre nouvel entendement, nous les rejetons. Pour faciliter votre libération, voici un bref poème intitulé : « Dix mots pour éliminer toute souffrance inutile » :

Le sentiment est réel
C'est son origine qui ment !

Laissez cette nouvelle connaissance s'infiltrer dans la nature secrète de vos souffrances. Osez invoquer sa sagesse chaque fois qu'un état négatif essaiera de susciter une tempête en vous et voyez comment elle parvient à faire disparaître les souffrances les plus tenaces.

Souvenez-vous d'une vérité très simple et prenez-vous en charge

À ce stade, une nouvelle idée, lumineuse, éclatante, devrait émerger dans notre esprit : nous ne sommes pas destinés à être réduits en esclavage par des pensées ou sentiments négatifs ; nous n'avons pas été créés pour être prisonniers des limites inhérentes à ces états sombres. Nous sommes les souverains de notre vie intérieure et de tout ce qu'entraîne ce fief spirituel. Nous avons le droit de décider à quelles pensées et à quels sentiments nous donnons l'autorisation de vagabonder au sein de notre conscience. Nous régissons leurs relations parce que nous sommes maîtres de notre âme. Qu'il n'y ait aucun doute là-dessus.

Dans le même ordre d'idée, nous pouvons aller au-delà des leçons que nous venons d'apprendre sur la vie au présent. En effet, *aucune pensée ne peut séjourner dans notre esprit, aucun sentiment ne peut demeurer dans notre cœur si nous ne souhaitons pas qu'ils y restent*. Laissez-moi vous expliquer cette vérité stupéfiante, qui fait allusion à un pouvoir, tout aussi stupéfiant, que nous possédons sans le savoir.

Avez-vous déjà vu apparaître dans votre esprit l'image de quelqu'un qui vous a blessé ? Avez-vous projeté dans votre imagination le film de l'un de vos échecs ? En vous remémorant l'événement, avez-vous éprouvé un sentiment de perte ? Comment cette image douloureuse semble-t-elle s'enraciner dans votre esprit, malgré tous vos efforts pour l'en déloger ? Nous avons tous connu cette situation, nous avons tous essayé de résoudre ce problème, en imaginant une nouvelle solution, en nous répétant ce que nous aurions dû dire, en espérant que quelque chose vienne nous libérer. Naturellement, rien ne marche, et ce, pour une bonne raison, comme nous allons le voir ici.

Ces images indésirables reviennent sans cesse parce qu'au fond de nous-mêmes une petite voix les rappelle constamment et les projette au premier plan de notre esprit. Peut-être réagirez-vous ainsi : « Mais c'est impossible ! Comment cela peut-il être vrai alors que mon plus cher désir est de me libérer de leur présence douloureuse ? » La bonne réponse est évidente, même si notre raisonnement actuel nous en dicte une autre.

En vérité, rien ne nous oblige à demeurer ne serait-ce qu'un instant en compagnie d'un souvenir indésirable. Cela signifie donc qu'il existe quelque chose, dans notre nature actuelle, qui tient absolument à se remémorer les expériences douloureuses. Cette nouvelle connaissance de soi nous éclaire sur les solutions que nous pouvons appliquer, à partir de notre conscience. Désormais, nous pouvons choisir nos souvenirs ! Autrement dit, au lieu d'être entraînés dans un affrontement avec des pensées ou sentiments indésirables qui apparaissent d'eux-mêmes dans notre cœur et notre esprit, nous pouvons prendre des mesures pour nous libérer. Nous pouvons décider d'ignorer les images que ces états négatifs projettent, car nous savons qu'elles nous entraînent sur la voie de la destruction. Nous choisirons plutôt de nous souvenir de ce que nous désirons par-dessus tout, la lumière de la vérité, qui non seulement révèle ce qui nous blesse, mais encore nous libère des états inconscients dans lesquels nous nous trouvions.

Les grands sages ont toujours enseigné le souvenir de la lumière vivante, ainsi que la marche à suivre pour nous placer dans son rayonnement avant toute chose. Naturellement, la nature élevée de ce type de souvenir par rapport à nos déboires exige que nous fassions appel à notre volonté consciente et délibérée. Mais, pour reprendre le raisonnement de saint Augustin, « mon souvenir de toi n'est que le reflet de ton souvenir de moi ». Ce qui signifie que tout, dans la réalité, est déjà conçu pour nous aider à atteindre notre but.

Par conséquent, au moment même où vous comprenez qu'un aspect douloureux de votre passé vient vous harceler, vous prendre en otage, vous imposer une image détestée ou un regret douloureux, voici ce que vous devez faire : ici même, sur-le-champ, au lieu de vous abandonner au sentiment familier de votre emprisonnement dans la douleur (accompagné de toutes sortes de suggestions pour mettre un terme aux souffrances), souvenez-vous plutôt de la lumière vivante.

Voici quelques réflexions sur les conséquences de ce travail intérieur. Au lieu d'être emporté dans une lutte contre ces sentiments indésirables, contre tous les personnages secondaires issus de votre passé, détournez volontairement votre attention de la scène. En même temps, faites tomber le rideau, ramenez votre attention vers le présent. Éveillez-vous au sentiment de votre propre corps. Observez les pensées et sentiments qui se bousculent à l'entrée de votre conscience et, toujours au présent, accueillez un souvenir conscient de la lumière, de la vie de Dieu, de la vérité et de sa plénitude, dans la pleine mesure de vos capacités.

Par exemple, vous pourriez vous souvenir que la lumière vivante n'est accompagnée d'aucun fardeau, contrairement à la vieille amertume qui vous contraint à toujours blâmer les autres. Quelle que soit votre démarche, le secret consiste à accomplir un effort intérieur en essayant de transformer votre nouvelle connaissance de soi en une vigilance délibérée. Pour commencer, voici quelques suggestions : lorsque la colère traverse votre esprit, accompagnée du sentiment de révolte que provoque le souvenir d'une injustice dont vous avez été victime, au lieu de vous souvenir de la rancœur que cette image éveille en vous, renversez la situation. Placez cette petite vie troublée dans le contexte de la grande présence qui vit en vous, puis reléguez-la hors de portée de sa capacité de vous punir. Accomplissez ce travail intérieur aussi souvent que possible. Tels les cercles concentriques décrits par un galet qu'on lance dans un étang profond, votre douleur passée disparaîtra peu à peu dans le présent qui guérit. Au lieu de vous épuiser à une résistance perpétuelle, vous aurez appris le secret intemporel qui vous permettra de remplacer toutes les formes sombres par la lumière que vous avez choisie.

Souvenez-vous de la lumière. Laissez-la combattre pour vous. Cette intelligence vivante non seulement vous élèvera au-dessus de tout ce que vous devriez oublier, mais encore vous guidera vers un havre de paix, au fond de vous-même, là où le passé n'existe plus.

Le mot du maître

Q : Pourquoi nous comprenons-nous si mal ? Qu'est-ce qui nous empêche de voir la réalité telle qu'elle est et de découvrir notre véritable Soi ?

R : *Chacun de nous est fait de dix mille états différents et successifs, d'une pile d'unités, d'une foule d'individus.*

PLUTARQUE

Q : Y a-t-il un moyen d'expliquer les bouleversements qui se produisent en nous et ce que nous devrions faire si nous désirons sincèrement nous libérer afin de vivre au présent ?

R : *Un ancien texte indien rapporte une conversation entre l'élève et la Mort. La Mort dit : « Dieu a créé l'homme de manière à le faire regarder vers l'extérieur et non vers lui-même. Il est arrivé qu'un homme plus audacieux que les autres se soit retourné. Alors, il est devenu immortel ! » C'est le prélude de l'expérience, nous séparer des états inutiles afin de nous souvenir de nous-mêmes. C'est ce que l'homme doit faire, à titre d'expérience. Sinon, il échouera !*

P. D. OUSPENSKY

Récapitulation des points principaux

1. Rien, dans l'univers, n'a le pouvoir de maintenir l'esprit humain dans une douloureuse captivité, hormis la prison qu'il bâtit pour lui-même, à l'aide de ses propres pensées fallacieuses.

2. Dépistez et abandonnez délibérément toutes vos appréhensions au sujet de l'avenir et vous vous libérerez d'un tourment présent dont la force invisible n'est, en réalité, que votre acceptation de ressasser de noirs lendemains imaginaires.

3. Souvenez-vous que les pensées et sentiments négatifs ont besoin de notre accord pour nous punir et que ces états sombres ne sont rien sans le pouvoir que nous leur accordons. Alors, en distinguant clairement la vérité, vous conquerrez tout ce qui aurait voulu vous conquérir.

4. Sur le plan spirituel, le prix d'un nouveau départ n'est pas ce que nous payons pour assouvir un désir lointain. C'est notre volonté de nous libérer de tout désir dont la promesse nous entraîne en quête d'un nouveau lendemain.

5. Une fois que nous aurons appris à les exploiter, les nombreux tournants indésirables de la vie ne seront plus des expériences isolées, sans lien les unes avec les autres, sous le joug desquelles nous sommes destinés à ployer. Au contraire, elles deviendront des occasions uniques, dont la récompense sera de nous mener, si nous acceptons de les suivre, vers la parfaite éducation de notre âme.

Chapitre neuf

Éveillez la volonté et la sagesse qui éclaireront le monde

Plus qu'à tout autre stade de notre étude, j'aimerais que vous compreniez une chose ici : si vous souhaitez vous libérer afin de vivre au présent, *sachez que nul effort ne manquera d'être récompensé.* À longue échéance, ce n'est pas notre capacité de réussir qui déterminera notre succès spirituel, mais notre volonté d'apprendre la vérité sur nous-mêmes. En chacun de nous vit un être sans limites, mais, à moins que nous l'explorions et l'entraînions avec sagesse, nous ne saurons jamais jusqu'à quels sommets nous sommes capables de nous élever.

Imaginez un petit aiglon dont le nid s'agrippe à une paroi rocheuse. Aujourd'hui, pour la première fois, il se lève pour aller regarder à l'extérieur du nid de branchages. Jusqu'ici, cette jeune créature n'a connu que la sécurité de sa forteresse aérienne, mais le moment est venu de s'aventurer dans le monde extérieur. Debout, il regarde le panorama sans limites qui s'étend devant lui et entend, dans son cœur, une petite voix qui l'invite à s'envoler pour l'explorer. Sa réponse est instinctive et immédiate : il ouvre ses grandes ailes aux extrémités blanches et sent le vent s'engouffrer dans les plumes. Lentement, le jeune oiseau s'élève, en vacillant quelque peu dans l'air, tandis que ses serres agrippent encore involontairement les rebords du nid.

Pendant plusieurs jours, ce futur roi des cieux s'entraînera à cet exercice. Il explorera ses capacités toutes neuves et la promesse de son envol, sans toutefois oser quitter le nid. Et puis viendra le moment où, déchiré entre l'instinct de sécurité et l'appel du ciel, il obéira à son désir de liberté. Il abandonnera le seul monde qu'il ait connu jusque-là. À cet instant, il renaîtra pour prendre la place qui lui revient dans le ciel immense où il est destiné à régner.

Ce simple regard vers un événement très naturel dans le monde animal – un oiseau qui prend son envol pour la première fois – nous donne un avant-goût de surnaturel. Nous comprenons ce que nous devrions faire pour pénétrer dans le paradis qui se cache en nous.

Libérez-vous pour vivre une Vie extraordinaire

En vérité, l'Extraordinaire vit déjà en chacun de nous. Quel argument plus stimulant souhaitez-vous entendre ? Je n'en connais pas. Par « Extraordinaire », je ne fais pas allusion à une condition ou à une sensation née d'une expérience particulièrement palpitante, pas plus qu'à la réalisation longtemps attendue d'un désir particulier. L'Extraordinaire, ici, va bien au-delà de ces moments isolés, aussi réjouissants soient-ils. C'est la source immuable et inépuisable qui est le centre secret de chacun de nous, une ressource hors du temps, ouverte à quiconque recherche la Vie qui existe derrière la vie. C'est certainement à cette Vie extraordinaire que saint Paul fait allusion lorsqu'il s'adresse à la population athénienne : « Car c'est en Lui que nous avons la vie, le mouvement et l'être. » (Actes des Apôtres 17, 28) Maintenant, en gardant ces idées à l'esprit, examinons la notion de Vie extraordinaire sous un angle légèrement différent.

Chacun d'entre nous, d'une manière ou d'une autre, a touché une forme de grandeur passagère ou été touché par elle. Et bien que le plaisir inhérent à ces victoires personnelles soit indubitable, il est également évident qu'un élément essentiel leur manque. En effet, elles n'ont pas le pouvoir de satisfaire notre besoin de connaître, directement, quelque chose de vraiment permanent. Qui parmi nous n'a pas vu le plus cher de ses rêves s'écouler sous les ravages du temps ? C'est pourquoi Vernon Howard, grand philosophe américain, enseignait à ses disciples : « Il est sage de rechercher l'immortalité, car le temps vient à bout de toutes les autres ambitions. »

Tout ce qui est matériel finit par passer. C'est une vérité universelle, qui signifie que, malgré notre quête d'un trésor permanent dans une vie temporelle, nous ne modifierons pas l'inéluctable. Voici donc ce que nous devrions faire, en commençant par un rapide coup d'œil vers une notion qu'il faut comprendre pour réussir dans notre entreprise. Dans les grands moments de la vie, durant lesquels nous entrevoyons soudain quelque chose d'inspiré, d'aimant, de fort, d'éternel, de si splendide que notre esprit se tait, nous savons que nous sommes en présence de notre potentiel d'apprendre et de vivre dans un ordre supérieur de nous-mêmes. Mais ce qu'il est important de comprendre, au sujet de chacune de ces forces vitales et lumineuses qui s'activent en nous, c'est que notre expérience ne représente qu'un bref interlude entre cet aspect momentanément réceptif de nous-mêmes et la Vie extraordinaire d'où elles sont issues. Ici aussi, illustrons cette idée céleste par l'exemple d'un moment que nous avons tous vécu.

Imaginez-vous dans une forêt profonde, par une belle journée ensoleillée. Vous traversez les rayons silencieux qui plongent vers le sous-bois ombragé. Bien que les flèches de lumière apparaissent au hasard et semblent être indépendantes les unes des autres, vous savez parfaitement que chaque rayon provient d'une source unique : le soleil. Il en va de même des qualités merveilleusement intemporelles que nous voyons parfois briller à travers notre cœur et notre esprit. Toutes ces caractéristiques célestes ne sont que l'expression fugace de la véritable nature que nous n'avons pas encore concrétisée, l'essence éternelle dont le domicile secret est au cœur même de notre âme. Toutefois, la compréhension de cette vérité qui nous libère n'est pas encore achevée. C'est pourquoi il nous reste à revendiquer notre place au soleil. Mais si la relation potentielle avec la vraie vie existe vraiment, cela signifie que nous sommes destinés à prendre conscience de tout ce qui vit sous le soleil ainsi qu'à nous intégrer à la lumière qui éclaire ce royaume. En l'occurrence, nous devrions nous poser une question : pourquoi avons-nous manqué notre but ?

La réponse est surprenante. La seule raison pour laquelle nous ne voyons pas le seuil de cette lumière extraordinaire, c'est que nous ne savons pas où regarder. Peut-être devrais-je reformuler cette idée. Nous regardons, certes, mais pas là où il faudrait. Cette limite invisible qui nous empêche de voir au-delà de notre vie est un ingrédient de notre nature actuelle. Voyons si cela est vrai.

Cette nature actuelle examine la vie qui nous entoure, ainsi que tous les mouvements qu'elle y décèle, grâce à nos cinq sens. Cela signifie que la somme de notre relation avec le monde est déterminée par notre vue, notre ouïe, notre odorat, notre toucher et notre goût. C'est là une importante considération, car elle nous permet de comprendre quelque chose d'invisible jusqu'ici. Ces facultés naturelles communiquent constamment avec nous sous forme de sensations. Mais elles nous indiquent aussi que nous vivons en dehors de la réalité qu'elles enregistrent, au point que pratiquement tout ce que nous ressentons sur nous-mêmes nous révèle que nous vivons dans une réalité qui se déroule à l'extérieur de nous. Cette vision incomplète de la vie entraîne des conséquences malheureuses. En effet, au lieu de vivre dans la paix et la grâce de notre conscience d'une relation indivisible avec la Vie extraordinaire, nous en sommes réduits à une quête frénétique de quelques fragments minuscules et, certainement, fugitifs.

Pour le moment, nous sommes des non-voyants. Notre perception de la réalité est partielle, dans le meilleur des cas. Nous sommes incapables de comprendre que ce degré limité de conscience est justement la cause de notre malheur ! Et ainsi de suite, car nous continuons de poursuivre ce qui n'est rien d'autre que l'ombre de la vraie vie. C'est comme si nous avions aperçu une perle d'un orient magnifique dissimulée dans le sable. Nous essayons désespérément de nous convaincre qu'un coup d'œil fugitif suffit à notre bonheur, qu'il n'est pas nécessaire d'aller jusqu'à recueillir la perle et la posséder pour en jouir.

Comment renouer avec le réel et le présent ? Il faut pour cela nouer une relation consciente avec la Vie extraordinaire qui existe en nous. Les exercices qui suivent vous permettront de faire deux découvertes en même temps. Tout d'abord, ils vous aideront à comprendre que votre nature actuelle ne connaît que les reflets fragmentés et fugitifs qu'elle considère comme distincts d'elle-même. Ensuite, vous saurez ce que vous devrez faire pour concrétiser le pouvoir et la promesse de votre vraie nature.

Sept exercices très simples pour vous inviter à entrer dans la Vie extraordinaire

Chacun des exercices qui suivent vous aidera à vous libérer de ce qui vous empêche de goûter à la Vie extraordinaire. Tout ce dont vous avez besoin pour réussir, c'est d'un désir sincère de vous éveiller et d'accomplir le travail intérieur nécessaire. Si vous avez l'impression d'être trop éloigné de votre but, si la distance à parcourir vous semble trop grande, *ne vous découragez pas*. Écoutez plutôt saint François d'Assise, pour qui votre succès spirituel est déjà en vue : « Je ne songe jamais à l'éternité sans en retirer un grand réconfort, car je me dis : comment mon âme parviendrait-elle à comprendre la notion d'éternité si les deux n'étaient pas reliées d'une manière ou d'une autre ? »

C'est à nous qu'il incombe de réaliser la promesse de cette vision extraordinaire, n'en doutons point. Nous contenterons-nous, toute notre vie, de rêver à une existence sans limites, tout en sursautant de temps à autre, lorsque la dure réalité se manifestera ? Ou accomplirons-nous le travail intérieur qui nous permettra de nous éveiller de ce rêve ? Si vous avez choisi la Vie extraordinaire, commencez par les exercices qui suivent.

1. N'essayez pas de répondre à des questions lancinantes. En période de stress, apprenez à écouter ce que la Vie extraordinaire essaie de vous dire à propos de votre vraie nature, au lieu de chercher anxieusement des réponses familières qui apaiseront vos craintes. Les moments d'angoisse et de doute ne signifient pas que la vie nous a rejetés ou refuse d'accéder à notre désir de bonheur ; ils reflètent secrètement ce que nous avons encore à apprendre sur nous-mêmes. Lorsque vous vous sentez agité par des pensées tumultueuses, apaisez-les délibérément. Refusez de prendre part à la tentative de réparer ce qui vous semble endommagé. Sacrifiez consciemment votre Soi effrayé, et voyez ce qui se passe alors en vous. Cette nouvelle attitude fera entrer en vous la Vie extraordinaire, dont la présence seule suffit à prouver que tout va bien.
2. N'appelez pas à l'aide. En période d'angoisse ou de crainte, nous avons tendance à appeler quelqu'un ou quelque chose à notre aide. Cette dépendance non seulement affaiblit notre âme, mais encore nous empêche d'être instruits par la Vie extraordinaire. Par conséquent, nous y perdons doublement : tout d'abord, nous refusons d'admettre une idée cruciale, à savoir que nos craintes reposent sur de faux témoignages qui se donnent une apparence de réalité. Dans le cortège de cette révélation arrive la seconde notion importante : ce Soi effrayé, qui a besoin d'autrui, confirme secrètement la réalité de sa condition imaginaire chaque fois qu'il crie au secours. En refusant de nous extraire des états intérieurs qui nous angoissent, nous invitons la Vie extraordinaire à nous démontrer que le Soi terrifié n'existe que dans notre imagination.
3. Choisissez la voie la plus difficile. La routine, la répétition, la facilité sont des voies trop fréquentées que notre Soi endormi aime bien parcourir pendant qu'il nous asphyxie de promesses vides à propos des moments prétendument merveilleux qui nous attendent. Nous pouvons mieux faire. Ne nous laissons pas trahir ainsi ! Naturellement, un travail intérieur s'impose, mais au lieu de céder

aux exigences de ces éléments paresseux de nous-mêmes, qui recherchent toujours la voie la plus facile, choisissons plutôt ce que notre faux Soi essaie de nous présenter comme la voie « difficile ». Elle ne l'est pas. En réalité, lorsque nous apprendrons que pour nous débarrasser d'une situation qui nous effraie nous devons la vivre pleinement, nous découvrirons une nouvelle vérité libératrice : la seule voie véritablement difficile consiste à laisser notre nature sombre nous convaincre qu'il est préférable de contourner l'obstacle plutôt que de nous élever au-dessus de lui.

4. Faites ce que vous avez peur de faire. Dans le déroulement de la vie quotidienne, il y a un moment pour réfléchir à des projets rationnels et pratiques. Mais rien de ce qui repose sur la pensée ne peut servir à révéler les plans impensables que la Vie extraordinaire a conçus pour tous ceux qui accepteront de sauter sans parachute dans le moment présent. N'ayez plus peur de tomber ! Sautez ! *Acceptez le risque de l'échec afin de connaître une vie sans peur !* Si vous plongez dans ce qui suscite en vous la peur, la Vie extraordinaire vous prouvera que le plancher des vaches ne vous a jamais quitté. Rien, dans le monde, n'est comparable à cette découverte, car ensuite vous ne pourrez que monter toujours plus haut. Un mot d'avertissement, toutefois : un plongeon spirituel est bien différent d'un véritable saut sans parachute ! Ne risquez jamais votre corps pour une sensation forte, certes, mais fugitive. Car ce qu'il est possible d'atteindre, lorsqu'on possède un corps, ne peut être accompli sans lui. L'onde passagère d'adrénaline que vous ressentirez n'a rien en commun avec l'éveil à la réalité d'une vie sans peur, hors du temps.
5. Prenez chaque jour un moment de congé spirituel. Le Soi ne s'en rend pas compte, mais il s'agite perpétuellement sur un tapis roulant, propulsé par le mouvement d'hier qui l'entraîne vers demain. C'est cela, le temps qui passe. Heureusement, la Vie extraordinaire, elle, se situe hors du temps. Pour la partager, nous devons entrer dans son royaume. Voici un bon conseil pour commencer : aussi souvent

que possible, choisissez de vous évader de la cage dorée qu'est la réflexion perpétuelle sur nous-mêmes. Nous sommes dominés par ces pensées inconscientes, car, lorsqu'elles deviennent tumultueuses, tout notre être en souffre. Même si vous ne prenez que quelques minutes pour méditer, prier, faire une promenade dans la nature, contempler tranquillement une idée spirituelle, cela suffit. Faites-le. Ces petites fenêtres que nous ouvre notre désir d'une Vie extraordinaire et le travail que nous accomplissons dans ce but nous permettront d'entrer plus facilement dans son domaine intemporel.

6. Ouvrez-vous à la vie. Osez voir et vivre sans donner un nom à toutes les sensations diverses et variées qui se présentent devant vos yeux intérieurs. Laissez le sens des états que vous voyez en vous-même vous révéler leur vraie nature. Résistez à la tentation d'interrompre leur déversement en essayant constamment d'expliquer telle ou telle sensation. Ouvrez-vous simplement à ces pensées et sentiments et laissez-les vous traverser sans leur opposer d'obstacle. Pourquoi ? Tout d'abord, cet exercice spirituel permet également aux états négatifs de sortir par la porte arrière. Ensuite, la Vie extraordinaire est très possessive. Elle n'entrera pas dans un lieu déjà occupé.
7. Ne soyez pas grégaire. La Vie extraordinaire rend visite aux particuliers. Elle ne s'intéresse ni aux groupes ni aux organismes. Elle renforce l'âme qui souhaite vivre la solitude. Tenez-vous à distance des gens qui veulent absolument vous imprégner de leurs convictions, qui espèrent vous convaincre que la réalité dont ils se satisfont vous satisfera également. Ces tricheurs essaient simplement de vous garder dans leur camp. Ne vous préoccupez pas de savoir si vous êtes seul ou accompagné. Méfiez-vous des « terrains de camping » communautaires dans lesquels, sous prétexte d'accueillir le voyageur fatigué, on l'enrôle pour oublier qu'on ne va nulle part. Poursuivez votre route ! Votre persistance est l'invitation dont la Vie extraordinaire a besoin pour vous montrer le chemin qui vous conduira à bon port.

Ces exercices, ainsi que ceux dont nous avons discuté dans les chapitres précédents, présentent un point commun : chaque fois que la voie vous paraît difficile – ce qui est normal, car toute croissance comporte des obstacles – il est préférable d'échouer temporairement dans notre tâche que de réussir à demeurer au point de départ. Théodore Roosevelt, président des États-Unis il y a plus d'un siècle, devait avoir cette idée à l'esprit lorsqu'il écrivit ces mots particulièrement stimulants :

> Ce n'est pas le critique qui compte. (...) Le crédit revient à celui qui se trouve réellement dans l'arène, dont le visage est couvert de poussière, de sueur et de sang, celui qui accomplit de vaillants efforts, qui commet des erreurs, qui échoue à maintes reprises, celui qui connaît le grand enthousiasme, le grand dévouement, qui se consacre à une digne cause, qui, dans le meilleur des cas, finit par connaître le triomphe de l'exploit. Et si, dans le pire des cas, il échoue, au moins il aura échoué en faisant preuve d'une superbe audace.

Et maintenant, prêtons attention à la manière dont chacun de nous, chaque jour, contribue à améliorer, à soigner et à illuminer le monde que nous partageons, afin que par nos efforts individuels nous accomplissions la tâche qui transformera d'abord notre vie, puis la vie de la planète même. Cette vision est-elle réaliste ? Que ferions-nous si nous possédions le pouvoir de changer réellement le monde ? C'est justement ce que nous allons voir !

Soyez la Lumière du monde

Chaque voyage de véritable découverte de soi, ainsi que les changements qu'il apporte en nous, doit bien commencer quelque part. Ouvrons cette étape par une importante vérité, que nous avons tendance à sous-estimer : *nous possédons tous le pouvoir de changer le monde*. C'est vrai. Tous, nous avons au fond de nous-mêmes un être secret, doté de pouvoirs alchimiques, capable de métamorphoser toute influence néfaste en une force bénéfique. Et pourtant, aussi séduisante que soit cette idée, elle n'est pas facile à mettre en pratique.

Pour devenir l'instrument de cette puissance supérieure, il ne suffit pas de souhaiter qu'elle entre dans notre vie. Il faut agir, maintenant, au présent ! Qu'il n'y ait ici aucune équivoque : nous avons été dotés de tout ce dont nous avons besoin pour transformer et transcender l'ombre des regrets, craintes et rancunes qui rôdent dans les couloirs obscurs de notre conscience encore endormie. Lorsque ces germes secrets de conflits sont révélés au grand jour et libérés, ils nous libèrent à notre tour, car plus rien de négatif ne demeure en nous pour nous inciter à agir contre nous-mêmes. Multipliez cette possibilité par les milliards d'êtres humains qui peuplent la planète et voilà que disparaissent les guerres insensées ainsi que tous les actes égoïstes de gloutonnerie acceptés par la société.

Peut-être vous demandez-vous de quoi il s'agit exactement. Qu'est-ce que ce grand pouvoir qui devrait nous permettre de vaincre tous nos ennemis intérieurs ? Voici la réponse : *chacun de nous a été créé pour être la Lumière du monde*. En chaque être réside une lumière qui naît en même temps que lui. Nous pouvons la considérer comme la Lumière du degré supérieur de conscience, dont l'intelligence et la compassion nous permettent de distinguer l'utile du néfaste, de faire intuitivement la différence entre un acte de gentillesse authentique et un acte d'égoïsme déguisé. Cette lumière nous permet de distinguer le vrai du faux. Lorsque nous vivons dans sa conscience, afin que sa présence devienne une puissance active en nous, qu'est-ce qui pourrait encore nous blesser ? Comment les ténèbres invisibles pourraient-elles nous envahir si cette lumière éclaire tout acte sombre avant même qu'il se concrétise ? Pensez-donc à cette puissance et à la liberté qui l'accompagne.

Pourtant, aussi encourageantes que se veulent ces paroles, elles s'accompagnent d'un mot d'avertissement. D'une part, nous devons prendre soin de ne pas laisser nos doutes disperser cet espoir. D'autre part, il serait dangereux de tenir notre réussite pour acquise. Ce genre d'assurance excessive ne conduit qu'à la défaite et au chagrin. Comprenons donc que ce pouvoir bénéfique demeure en nous à l'état de *potentiel*, car, si la Lumière vivante se réalisait en nous, aucun état négatif ne pourrait nous dominer. Les effets néfastes n'auraient jamais la possibilité d'apparaître, ce qui signifie évidemment que notre monde ne serait pas dans son pitoyable état actuel.

Par conséquent, notre première étape pour devenir la Lumière du monde doit être d'accroître notre conscience de ces diverses forces à l'œuvre en nous, en prenant soin de ne pas nous juger d'après les apparences et de ne pas considérer notre situation comme une prison de laquelle on ne s'évade pas. De fait, plutôt que de porter un jugement négatif, après avoir découvert, avec indignation, un aspect de nous-mêmes qui nous déplaît, nous accomplirons un pas vers l'inconnu. Nous utiliserons ces désagréments pour nous souvenir d'orienter notre attention vers la Lumière vivante en nous, qui a le pouvoir de dissiper toutes les ténèbres. Même si tout ce que nous avons, c'est le léger soupçon que nous avons été créés pour transcender les pensées et sentiments qui troublent notre âme, c'est déjà un bon début. Souvenez-vous qu'il n'y a que le premier pas qui coûte ! Apprenons à concrétiser cette vie dans un degré supérieur de conscience, que notre intuition devine sans la voir vraiment. C'est le seul moyen de réaliser notre potentiel. Voici un exemple très simple pour illustrer cet argument.

Il y a des années, quelqu'un a eu l'idée de capter la lumière du soleil pour en faire de l'énergie solaire. Aujourd'hui, nous avons appris à transformer cette énergie pour répondre à nos besoins. Voici maintenant une nouvelle possibilité qui s'offre à nous : nous voulons nous identifier consciemment avec la Lumière vivante en nous, car nous sentons confusément que son pouvoir est justement celui dont nous avons besoin pour nous libérer. Ainsi, comment illuminer nos relations, à la maison, au travail, où que nous soyons ? Que faire pour éclairer le monde obscur qui ploie sous le fardeau de ses propres ténèbres ? La réponse vous surprendra, vous choquera peut-être : *nous devons cesser d'être des éléments inconscients de ces ténèbres.*

Ne croyez pas qu'il s'agit là d'une injonction spirituelle trop simpliste ou, au contraire, trop ésotérique pour être concrétisable. Loin de là. Elle fait allusion à un pouvoir extrêmement pratique, que nous pouvons apprendre à utiliser sur-le-champ. Il suffit de comprendre que l'univers lui-même a été conçu de manière à nous aider à éclairer le monde. Voici quelques explications à cet égard.

Existe-t-il une lumière, quelque part dans l'univers, qui ne fait pas partie de la lumière de l'univers ? Si nous réfléchissons quelques instants à cela, notre conclusion sera évidente : effectivement, la lumière ici et la lumière là-bas ne font qu'une. La physique quantique vient corroborer cette affirmation. Les scientifiques du XXe siècle ont compris ce que les sages d'antan professaient depuis toujours, soit que la lumière est une et indivisible.

Dans le même ordre d'idée, existe-il une obscurité dans l'univers qui ne fait pas partie de l'obscurité de l'univers ? Comment peut-il en être autrement ? Par exemple, la haine ou la terreur qui habite un être en Grande-Bretagne est-elle différente de celle qui étreint un habitant du Brésil ? Non, bien que ces deux personnes vivent à des milliers de kilomètres l'une de l'autre. Chacune est prisonnière de la même obscurité.

Maintenant, réfléchissez bien à l'idée suivante : si nous apportons la lumière quelque part, n'éclairerons-nous pas les ténèbres partout ? La plus petite lueur ne suffira-t-elle pas à rendre l'obscurité un peu moins impénétrable ? Oui ! Oui ! Oui !

Voyez-vous maintenant les possibilités qui s'offrent à vous ? Comprenez-vous l'importance des choix que vous ferez ? Votre voie n'est-elle pas clairement tracée devant vous ? Lorsque nous acceptons d'être la Lumière vivante, tout ce qui nous entoure, tout ce qui se trouve dans la sphère d'influence de notre conscience peut subir des transformations fondamentales. En niant le négatif, nous apportons des changements positifs à la réalité. Mais n'allons pas trop vite. En premier lieu, la vision doit s'ouvrir à nous. Ensuite, nous devons accomplir un travail intérieur spécial pour procéder à ces transformations de la vie.

Ne nous identifions plus jamais à un état négatif, quelle que soit la raison pour laquelle cet état nous affirme que nous devrions accepter sa présence douloureuse. Autrement dit, apprenons à déceler et à rejeter sans pitié ces pensées et sentiments obscurs. Après tout, ont-ils fait preuve de pitié à notre égard en fracassant notre vie ? Voici pourquoi cette instruction est si importante pour nous aider à connaître la vraie vie spirituelle.

Chaque fois que nous nous identifions à un état destructeur ou corrupteur, nous l'introduisons dans notre vie, nous lui injectons notre force vitale. En d'autres termes, nous *devenons* cet état négatif, nous l'incarnons. Une brève explication illustrera cette révélation ésotérique.

Lorsque nous nous identifions à des forces négatives, nous leur offrons à notre insu deux conditions qu'elles ne possèdent pas en temps ordinaire. Tout d'abord, nous leur ouvrons la porte d'une réalité à laquelle elles n'auraient jamais accès. Ensuite, nous leur donnons l'énergie vitale dont elles ont besoin pour se sustenter et demeurer dans notre système psychique.

Ce que j'aimerais vous faire comprendre, à ce stade, c'est une leçon cruciale qui vous aidera à vous libérer. En effet, si nous omettons d'offrir à ces états négatifs le véhicule et la force vitale dont ils ont besoin pour survivre, ils ne pourront pas prospérer. Retirez l'eau à des fleurs et elles se faneront. C'est une loi de la nature. Par conséquent, pour mettre un terme à notre relation avec des sentiments et pensées qui nous portent préjudice, nous devrons prendre la seule et unique mesure nécessaire : ne plus céder à la volonté d'un état négatif qui cherche à se servir de nous.

Chaque fois que nous sentirons quelque chose de négatif s'agiter en nous, *quelles que soient les circonstances*, chaque fois que notre nature inférieure essaiera de nous persuader de l'accepter en nous, souvenons-nous de mettre nos résolutions en pratique. Maintenant que nous connaissons la vraie nature de ces états négatifs, nous sommes en mesure de choisir la lumière et la vérité avant même d'accepter toute autre considération qui nous est suggérée par la partie divisée de notre Soi. Cela signifie que pendant les moments difficiles notre première tâche sera de nous éveiller, de prendre pleinement conscience de nous-mêmes et d'oser opter pour la lumière. Voyons de manière plus approfondie en quoi consiste ce travail intérieur.

Au lieu de laisser, comme à l'accoutumée, une quantité de pensées négatives nous dicter notre conduite, ce qui revient à introduire le loup dans la bergerie, voyons clairement la contradiction et n'hésitons pas à prendre une nouvelle résolution. N'essayons plus d'imaginer ce dont nous avons besoin pour régler le problème. Prenons conscience des pensées et sentiments troubles qui nous murmurent que nous sommes en danger. Cet acte de lucidité délibérée illuminera tout ce qui nous fait peur. En d'autres termes, au lieu de laisser inconsciemment un état sombre nous attirer dans ses ténèbres, nous déciderons consciemment d'éclairer notre condition actuelle de la Lumière du présent. Cet acte transformera tout ce qui nous entoure. Notre degré supérieur de conscience engendrera en nous un sentiment de joie et de bonheur. Il fera pour nous ce que nous n'avons pas été en mesure de faire pour nous-mêmes. Nous serons enfin libérés.

Souvenez-vous de tout ce que nous avons découvert ensemble. Tout comme en levant le regard vers le soleil nous laissons toutes les ombres derrière nous, lorsque nous accueillons la Lumière dans notre vie, nous coupons les vivres à tous les états négatifs. Ténèbres, vos jours sont comptés ! Nous ne voulons plus de vous !

Quatre moyens d'enseigner les vérités qui transformeront le monde

Une partie de notre travail, pous nous libérer et vivre dans la Lumière du présent, requiert une nouvelle connaissance de soi. En effet, notre vie est l'un des éléments d'un équilibre perpétuel et parfait dont la puissance invisible régit toutes choses. Cette idée est aussi universelle que véridique. Notre univers est constitué d'une trame délicate de contraires primordiaux dont l'expression se modifie en permanence pour donner naissance à la vie telle que nous la connaissons. Écoutons comment Ralph Waldo Emerson exprime cette notion cruciale :

> La polarité, soit l'action et la réaction, existe partout dans la nature ; dans la lumière et les ténèbres, dans la chaleur et le froid, dans le flux et le reflux, dans le masculin et le féminin, dans l'inspiration et

l'expiration, dans la systole et la diastole du cœur, dans l'électricité, le galvanisme et l'affinité chimique. Si nous produisons du magnétisme à l'extrémité d'une aiguille, un magnétisme opposé se produit à l'autre extrémité. Si le sud attire, le nord repousse. Pour remplir ici, il faut vider là. La dualité est présente dans la nature, de sorte que chaque chose est une moitié, qui a besoin de l'autre moitié pour se compléter : esprit et matière, homme et femme, pair et impair, subjectif et objectif, dedans et dehors, supérieur et inférieur, mouvement et repos, oui et non. Ainsi, non seulement le monde, mais encore toutes ses parties existent dans la dualité. Ce système est représenté dans chaque particule.

C'est sur cette notion que repose la sagesse vénérable de l'enseignement taoïste, de la doctrine bouddhiste, de la ronde des saisons décrite dans l'Ecclésiaste de l'Ancien Testament, ainsi que du christianisme ésotérique. Nous avons été dotés d'yeux pour voir comment les forces actives et passives imprègnent notre essence, comment elles parviennent à s'imprimer en nous. Examinons cette idée de plus près.

Notre vie se déroule dans un courant infini d'énergie cosmique qui traverse perpétuellement nos corps physiques et subtils. Les physiciens estiment que, pendant le temps qu'il vous a fallu pour lire cette phrase, des milliards de particules vous ont traversé ! Non seulement ces forces spectrales sont-elles invisibles, mais pendant qu'elles se déplacent en nous, elles produisent une quantité d'échos correspondants. Par conséquent, notre système psychique éprouve toutes sortes de sensations presque imperceptibles, auxquelles il réagit. Chacune des sensations dont nous prenons conscience est automatiquement étiquetée d'un nom qui nous est familier, en fonction de notre conditionnement. Voici pourquoi nous avons besoin de comprendre la relation de notre être avec l'univers dans son ensemble : lorsque nous commencerons à nous voir dans le contexte d'une réalité supérieure, nous apprendrons de nouveaux moyens d'entrer en contact avec nos états intérieurs qui se trouvent en évolution perpétuelle.

Prenons par exemple un état indésirable que la plupart d'entre nous avons connu un jour ou l'autre : le sentiment que quelque chose de vital manque à notre vie. Désormais, grâce à notre nouvelle connaissance de nous-mêmes, nous avons la chance de comprendre qu'en dépit de la réalité indéniable de ce sentiment la raison que nous avons choisi d'invoquer pour l'expliquer est mensongère. Lorsque nous examinons notre vécu de près, nous constatons qu'il n'existe pas de solution à ce mystérieux sentiment de « vague à l'âme ». Nous en arrivons maintenant à une leçon bien particulière.

Si rien de ce que nous sommes capables d'imaginer n'a le pouvoir de dissoudre ce sentiment de vide, que devrions-nous rechercher ? Voici un indice : si nous comprenons que nos vieilles réponses sont, dans le meilleur des cas, incomplètes, il est possible que nous ayons simplement besoin de nouvelles questions complètes, qui reposent sur notre vision élargie de la réalité. Nous pourrions donc chercher ce qui, dans notre âme, est à notre poursuite. Ne soyez pas dérouté par une question aussi surprenante. Au demeurant, vous en savez déjà beaucoup sur ces molosses intérieurs ; vous n'ignorez pas pourquoi vous avez l'impression de les sentir sur vos talons.

Les êtres humains naissent avec le désir indéfinissable de croître, de pénétrer dans les profondeurs mystérieuses de leur propre cœur et de les illuminer. La quête de la perfection est tissée dans la trame de notre âme. Elle imprègne chaque particule de notre être. Notre désir de nous joindre aux étoiles ne semble pas inaccessible, car le goût de l'éternel nous accompagne. En termes plus concrets, si nous souhaitons vivre sans résidu de rancune et nous libérer de la peur et de ses limites affaiblissantes, nous devons nous débarrasser de notre enveloppe d'égoïsme. Nous devons apprendre ce que signifie souffrir sans se plaindre et éprouver de la compassion envers ceux qui nous font du tort. À ce moment-là seulement nous emprunterons la voie de l'immortalité. Souvenez-vous de l'injonction du Christ, « soyez divins ! », qui sonne juste à nos oreilles.

Toutefois, nous devrions d'abord comprendre l'origine véritable de ces désirs célestes, qui nous entraînent vers la promesse de notre nature supérieure. En vérité, ces forces sont à la fois une invitation et une perturbation. Ce sont des contraires cosmiques de ce genre qui, une fois révélés comme tels, nous ouvriront la voie de notre véritable Soi. Un exemple très simple nous aidera à comprendre comment et pourquoi cette énergie céleste est à l'œuvre en nous.

Lorsque nous commençons à avoir soif, cette sensation physique nous invite à chercher quelque chose qui l'étanchera. Maintenant, songez à la manière dont nous avons soif de connaître la vérité sur nous-mêmes. Mais ce besoin céleste, sous toutes ses formes, ne cesse jamais de se déverser en nous, depuis les hauteurs de notre vraie nature. Nous pouvons ignorer cet appel vers un degré supérieur de conscience, certes, mais nous ne pourrons jamais l'extirper de notre âme. Une question se pose alors : que possédons-nous qui serait doté du pouvoir nécessaire pour répondre à ces désirs invisibles auxquels nous ne parvenons guère à échapper ?

Nous avons été dotés d'une capacité spéciale, qui nous permet de vivre la vérité en nous. Autrement dit, nous pouvons utiliser – libérer ou transformer – toutes les forces conflictuelles qui font partie intégrante de notre route vers le ciel. Rien, absolument rien ne peut nous empêcher de recevoir la manne céleste dont la lumière non seulement sert à révéler le caractère encore ténébreux de notre nature larvaire, mais encore déverse en nous tout ce dont nous avons besoin pour la dépasser. Il reste maintenant à apprendre et à répéter le rôle bien particulier que nous devrons jouer dans notre propre transformation.

Tout d'abord, pour recevoir correctement les impressions vitales qui sont le prélude de notre éveil aux leçons de vie, nous devons apprendre ce que signifie réellement la *passivité* au cœur du présent. Pour comprendre ce grave principe spirituel, songez à ce qui se passerait en vous si vous receviez la vie sans exigences préalables, sans savoir ce que vous accepterez ou non au fur et à mesure qu'elle se développera en vous. Cet état de conscience impersonnelle est un élément crucial des traditions orientales de sagesse, qui font allusion à un esprit aussi lisse qu'un miroir, parfaitement passif face à ce qui traverse sa conscience, témoin silencieux de tout ce que la vie peut révéler. Cette obéissance consciente à une réalité plus vaste est la première des deux étapes que nous devrons franchir pour nous transformer, d'abord, et transformer le monde qui nous entoure, ensuite.

Après avoir semé sur le terrain de notre passivité les graines de ce que nous avons observé en nous, le moment est venu pour nous de franchir la seconde étape, celle de l'*activité*. Nous avons reçu, maintenant nous devons donner. Les contraires doivent être réunis en nous grâce à nos efforts conscients. Par exemple, vous avez travaillé d'arrache-pied pour prendre conscience de vous-même dans le présent. Cet effort vous a fait comprendre que vous étiez prompt à juger les autres, à critiquer leurs « défauts ». Cette douleur qui nous étreint et qui fait souffrir les autres est une création du sentiment fallacieux de notre propre perfection. Mais si nous prenons conscience de sa présence en nous, elle nous invitera à transcender la nature négative qui est responsable de son apparition. Par conséquent, pour atteindre le degré élevé du Soi qui révèle la nécessité d'une transformation plus poussée, une lourde tâche nous attend. Nous devons faire apparaître ce Soi supérieur en utilisant de manière entièrement différente notre nouvel entendement.

Chaque fois que nous constatons qu'il nous faut en comprendre davantage sur nous-mêmes, utilisons notre vie pour devenir l'exemple vivant des qualités que nous aimerions apprendre. Autrement dit, pour transcender ce que nous considérons comme nos limites, nous devons enseigner, par l'exemple, ce que nous aimerions mieux comprendre. Un peu plus loin, nous nous attarderons sur quelques exemples très clairs de ce type d'action consciente. Mais commençons par voir pourquoi notre souhait d'atteindre la Vie extraordinaire exige de nous tant de travail.

Tant que nous ne comprendrons pas que toutes les influences qui agissent sur nous et servent de contexte aux diverses leçons de vie ne sont en réalité que les reflets secrets d'un déséquilibre encore indécelé en nous, il nous sera impossible de recevoir ces vastes impressions intérieures et d'apprendre correctement les leçons qui les accompagnent. Notons cependant que ni les impressions ni les leçons n'existent pour nous punir. Au contraire, elles servent à adoucir le caractère de notre âme ; elles nous aident à assembler les contraires qui s'affrontent en nous. À chaque reprise, nous émergerons d'un ordre de Soi dans une nouvelle nature, dont l'être est plus grand que la somme des tendances inconscientes qu'il réunit.

Comme vous le voyez, il ne suffit pas de recevoir passivement ces leçons. Nous devons agir à partir de leurs révélations et éclaircir leur signification. C'est pourquoi le désir d'enseigner pour apprendre est tout aussi important que celui d'apprendre pour croître.

Vous trouverez ici quatre méthodes d'enseignement des vérités qui transformeront notre monde tout en nous transformant par nos actes. N'oubliez jamais que ces exercices ont été conçus pour vous aider à trouver un équilibre spirituel, même si, par ces actions, vous enseignez aux autres la possibilité de vivre dans un degré supérieur de connaissance de soi.

1. Nous enseignons aux autres lorsque nous ne réagissons pas avec effroi à des nouvelles ou événements potentiellement terrifiants. Le monde qui nous entoure comprend alors que ces événements n'ont pas, en eux-mêmes, le pouvoir de briser notre âme éveillée. Notre leçon, si nous l'enseignons, consiste à comprendre qu'il n'est pas nécessaire de céder aux instances de notre nature pessimiste qui adore tirer la sonnette d'alarme.
2. Nous enseignons aux autres lorsqu'ils nous voient rire de nos erreurs. Le monde comprend alors qu'il y a une énorme différence entre le fait de commettre une erreur et celui de se considérer soi-même comme une erreur. Notre leçon, si nous l'enseignons, consiste à comprendre que tout désir compulsif de paraître parfait aux yeux du monde est une punition qui n'aura jamais sa place dans notre quête de la paix et de la satisfaction.
3. Nous enseignons aux autres lorsque nous ne cédons pas au désir de nous plaindre. Le monde comprend alors qu'il y a des moyens d'affronter l'inconfort ou la déception autres que l'expression d'émotions négatives. Notre leçon, si nous l'enseignons, consiste

à comprendre qu'il est possible d'utiliser les états sombres passagers pour nous éveiller à la sagesse intérieure qui se sert de tout comme engrais de croissance.

4. Nous enseignons aux autres lorsque nous refusons de nous défendre psychologiquement, que ce soit contre le simple sarcasme ou une virulente calomnie. Le monde comprend alors que la vérité n'a besoin d'aucune défense et qu'il est impossible de défendre le mensonge. Notre leçon, si nous l'enseignons, consistera à comprendre que les gens n'attaquent que ce qui leur fait peur et que nous n'avons aucune raison de craindre une personne effrayée.

Notre véritable croissance spirituelle est régie par des lois invisibles : pour croître, nous devons apprendre. Pour apprendre, nous devons enseigner. Pour enseigner, nous devons diriger. Pour diriger, nous devons commettre des erreurs. Car ces erreurs labourent le sol pour nous, nous rendent réceptifs à de nouvelles leçons plus complexes. Ainsi la boucle est bouclée, même s'il s'agit plutôt d'une spirale qui s'élève au-dessus de son point de départ.

Utilisez ces exercices pour enseigner les vérités qui transformeront le monde en vous et autour de vous. Confectionnez vos propres exercices à partir des leçons que la vie, vous le savez maintenant, vous invite à apprendre. Souvenez-vous toujours, selon les principes que nous avons appris ici, que tout ce que nous essayons de changer en nous-mêmes a le pouvoir de changer tout le reste. Que peut-il y avoir de plus prometteur ?

Le mot du maître

Q : Je ne sais pas où en sont les autres, mais en ce qui me concerne, voilà longtemps que je me pose certaines questions ; malheureusement, je ne parviens pas à m'élever au-dessus de moi-même. Que devrais-je faire ?

R : *Les pouvoirs de l'esprit, de la vie et du corps sont restreints par leurs propres limites et même s'ils parviennent à s'élever et à s'étendre, ils ne peuvent dépasser ces limites. Pourtant, l'esprit humain peut s'ouvrir à ce qui se* *trouve au-delà de lui-même, faire appel à la Lumière, à la Vérité et à la Puissance supramentales, afin de l'aider à accomplir ce qu'il ne peut faire seul. Si l'esprit ne parvient pas, malgré ses efforts, à devenir ce qui est au-delà de lui, l'Esprit supérieur peut descendre pour le transformer en sa propre substance.*

SRI AUROBINDO

Q : Je souhaite m'éveiller et connaître ma vraie nature. Mais comment savoir si ce voyage de découverte est vraiment pour moi ?

R : *Et comme le poisson qui nage dans la largeur du fleuve ou se repose dans sa profondeur, comme l'oiseau qui vole hardiment dans les hauteurs, ainsi* [l'âme] *sent-elle que son esprit erre librement dans l'altitude et la profondeur et l'abondance délicieuse de l'amour.* [...] *Il la rend alors si hardie qu'elle ne craint ni homme ni démon, ni ange ni saint, ni Dieu même, en ce qu'elle fait ou ne fait point, dans son agir et son repos.*

BÉATRICE DE NAZARETH

Récapitulation des points principaux

1. Chaque acte conscient d'amour élève le monde, de sorte que chaque expression sincère de gentillesse embrasse et élève toutes les âmes réceptives. Chaque pensée imprégnée de colère lacère l'âme, souille le monde de son amertume jusqu'à ce que la volonté ténébreuse de cette haine écrase l'âme vulnérable, étouffant sa précieuse petite lueur.

2. Chaque moment qui se déroule dans notre vie nous invite à choisir soit la voie de la croissance, par exemple lorsque nous préférons la gentillesse consciente à la cruauté inconsciente, soit celle de l'amertume, comme lorsque nous accueillons inconsciemment en nous la rancœur au lieu de nous évertuer à nous en libérer. La sagesse consiste à emprunter la voie du Bien, même si celle de l'amertume nous paraît parfois plus tentante.

3. Voici comment recevoir un don plus grand que les mots qui servent à le décrire : n'offrez jamais à quiconque une pensée ou un sentiment que vous n'aimeriez pas conserver pour vous.

4. Le secret suprême, qui se dissimule dans tous les instants de l'éducation de l'âme, est de savoir éprouver de la reconnaissance pour toutes les leçons durement apprises.

5. Il suffit d'un instant pour semer la graine de la grandeur, mais dans notre monde, tout prend beaucoup de temps à croître. Cela signifie que la patience, alliée à la persistance, est l'élément nutritif le plus important de tout ce qui est destiné à grandir. Par conséquent, pour entrer dans la Vie extraordinaire, nous devrons accompagner notre désir spirituel d'une tranquille vigilance. À partir de là, la bonté suprême ne pourra que s'épanouir en nous.

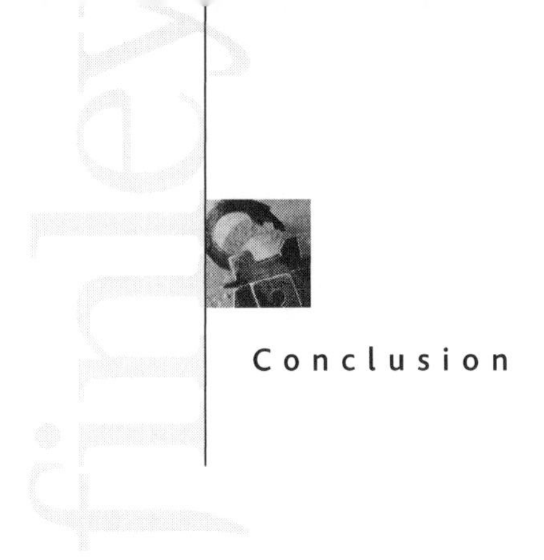

Conclusion

La voie de la réalisation de soi

Avant de nous séparer momentanément sur la voie de la réalisation de soi, j'aimerais vous révéler un dernier écrit. Il est facile de distinguer le sommet lumineux d'une montagne et d'admirer certaines de ses merveilles en demeurant sagement dans la vallée. Certains, toutefois, souhaitent respirer l'air raréfié des cimes. Peu emprunteront le sentier qui mène au pied de la montagne et, à partir de là, tenteront l'ascension de leur vie. Si vous souhaitez apprendre à vous libérer pour vivre au présent, considérez ma conclusion comme une invitation, une instruction et un impératif spirituel. Accueillez ces mots dans votre cœur.

Certains empruntent la voie d'en haut.
D'autres, la voie d'en bas.
Certains sont accompagnés d'amis et de parents.
D'autres cheminent seuls.

Certains voyagent avec des clowns et des animaux.
D'autres se contentent de chaussures de marche.

Certains voyagent avec des gourous et des saints.
D'autres se contentent d'ivrognes.

Certains piétinent sur place.
D'autres sprintent jusqu'à la ligne d'arrivée.
Certains voyagent la tête pleine de rêves.
D'autres préfèrent laisser leurs rêves en arrière.

Certains attendent le lever du soleil pour prendre la route.
D'autres préfèrent marcher de nuit.
Certains refusent de prendre la route,
Mais finissent par la prendre quand même…
D'autres en revanche affirment vouloir partir,
Mais ne marchent que lorsqu'il devient impossible de rester sur place.

Certains prennent la route avec un sourire forcé.
D'autres l'inondent de leurs larmes.
Certains soulèvent la poussière en dansant
Heureux d'aller là où la route les entraînera !
Certains prient tout le long du chemin.
D'autres chantent pour combler le vide.
Ils tournent un coin et ne voient qu'une route qui s'étire vers le lointain.

Certains en aident d'autres à marcher.
D'autres ne peuvent s'empêcher de souhaiter
Être en avant de tout le monde.
Certains se plaignent tout le long du chemin.
D'autres sont reconnaissants de pouvoir être capables de marcher.
Ce qui compte, ce n'est pas *la manière dont nous prenons la route…*
Ce qui compte, *c'est de la prendre.*

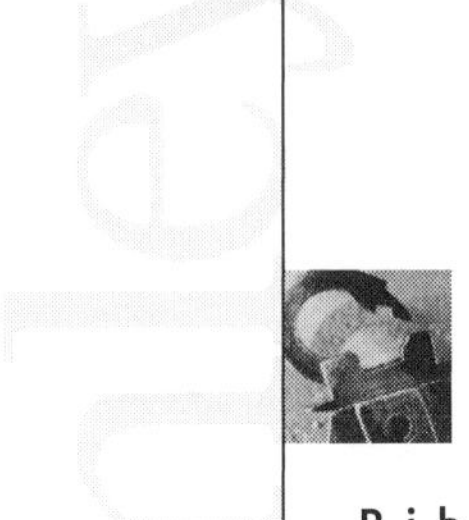

Bibliographie

ALLEN, James. *L'homme est le reflet de ses pensées*, Saint-Hubert, Un monde différent, 1984.

AUGUSTIN, saint, évêque d'Hippone. *Les confessions*, Texte établi et traduit par Lucien Jerphagnon, Paris, Gallimard, 1998.

BENNETT, J.G. *Deeper Man*, Santa Fe, Bennett Books, 1994.

BUCKE, Richard Maurice. *Conscience cosmique*, Éditions du troisième millénaire, 1989.

BULLETT, Gerald. *The Testament of Life*, Avenel, N.J., Wing Books, 1994.

Cantique des cantiques, le plus beau des cantiques de Salomon, Texte établi, traduit de l'hébreu et commenté par Ernest Renan, Paris, Arléa, 1991.

CLÉMENT, Olivier. *Sources : les mystiques chrétiens des origines*, Paris, Stock, 1982.

COLLIN, Rodney. *The Mirror of Light*, Boston, Shambhala, 1959.

ECKHART, Maître. *Sur la naissance de Dieu dans l'âme*, Trad. du moyen haut-allemand par G.P. Pfister et M.-A. Vannier, Paris, Arthuyen, 2001.

EMERSON, Ralph Waldo. *Les pages immortelles de R.W. Emerson*, Paris, Éd. Corréa, 1947.

_________. *L'Évangile d'Emerson*, Trad. de l'américain par M.-B. Jehl, Paris, Astra, 1992.

Évangiles apocryphes, Texte établi et traduit du grec ancien par France Quéré, Paris, Seuil, 1983.

GILBERT, Mark. *Wisdom of the Ages*, Garden City, NY, Garden City Publications, 1936.

GURDJIEFF, George Ivanovitch. *La vie n'est révélée que lorsque « Je suis »*, Monaco, Éd. du Rocher, 1983.

_________. *Rencontres avec des hommes remarquables*, Trad. du russe par J. de Salzmann et H. Nicol, Monaco, Éd. du Rocher, 1984.

GUYON, Jeanne-Marie Bouvier de la Motte. *Le moyen court et autres écrits spirituels*, Texte établi par M.-L. Gondal, Grenoble, Éditions J. Millon, 1995.

HARTMAN, Franz. *Jacob Boehme : Life and Doctrines*, Blauvelt, Steiner Books, NY, 1977.

HOWARD, Vernon. *The Mystic Masters Speak*, New Life Books, NV, Boulder City, 1974.

_________. *The Power of your Supermind*, Prentice Hall, Englewood Cliffs, NJ, 1988.

JAMES, William. *Les formes multiples de l'expérience religieuse*, Trad. de l'anglais par F. Abauzit, Chambéry, Éd. Exergue, 2001.

KRISHNAMURTI, J. *Liberté, amour et action*, Trad. de l'anglais par Cl. Dhorbais, Paris, Véga, 2002.

_________. *L'esprit et la pensée*, Trad. de l'anglais par C. Joyeux, Paris, Stock, 2001.

_________. *Cette lumière en nous*, Trad. de l'anglais par C. Joyeux, Paris, Livre de Poche, 2002.

_________. *La flamme de l'attention*, Trad. de l'anglais par J.-M. Plasait, Paris, Seuil, 1996.

LEARY, William. *The Hidden Bible*, New York, C & R Anthony, 1952.

MOOD, John, L. *Rilke on Love and Other Difficulties*, New York, W.W. Norton & Co., 1995.

MORRIS, Audrey Stone. *One Thousand Inspirational Things*, Hawthorne Books, New York, 1951.

NAZARETH, Béatrice de. *Sept degrés d'amour*, Trad. de l'ancien néerlandais, Bruxelles, Éditions Ad Solem, 2001.

NICOLL, Maurice. *Psychological Commentaries on the Teachings of Gurdjieff and Ouspensky*, York Beach. Samuel Weiser, 1980.

_________. *The New Man*, Utrecht, Eureka Édition, 1999.

OUSPENSKY, Peter Demianovitch. *L'homme et son évolution*, Trad. de l'anglais par B. de Panafieu, Paris, Accarias, 1999.

________. *Un nouveau modèle de l'univers*, Trad. de l'anglais par D. Aubier. Paris, Stock, 1996.

SCHIMMEL, Anne-Marie. *L'incendie de l'âme*, Trad. de l'anglais par S. Carteron, Paris, Albin Michel, 1998.

THOREAU, Henry David. *Walden ou la vie dans les bois*, Trad. de l'américain par L. Fabulet, Paris, Gallimard, 1990.

TOZER, A.W. *Men Who Met God*, Camp Hill, PA, Christian Publications, 1995.

UNDERHILL, Evelyn. *Mystics of the Church*, Harrisburg PA, Morehouse Publications, 1995.

WATSON, Lillian. *Light from Many Lamps*, New York, Simon & Schuster, 1951.

WRIGHT, Louis B. et Virginia LaMar. *The Play's the Thing*, Harper & Row, New York, 1963.

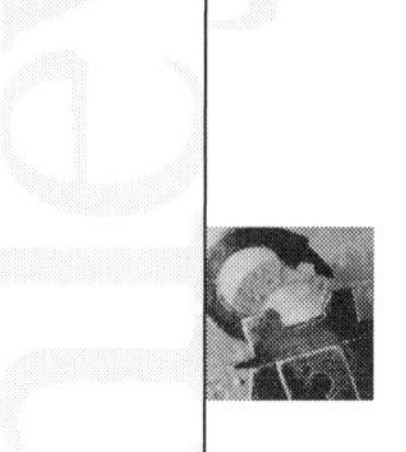

Table des matières

BEAUX LIVRES

Histoire et patrimoine

Ici Radio-Canada – 50 ans de télévision française, SRC et Jean-François Beauchemin
Intérieurs québécois, Yves Laframboise
L'île d'Orléans, Michel Lessard
Les jardins de Métis, Alexander Reford et Louise Tanguay
La maison au Québec, Yves Laframboise
Meubles anciens du Québec, Michel Lessard
Montréal au XXe siècle — regards de photographes, Collectif dirigé par Michel Lessard
Montréal, métropole du Québec, Michel Lessard
Québec, ville du Patrimoine mondial, Michel Lessard
Reford Gardens, Alexander Reford et Louise Tanguay
Sainte-Foy – L'art de vivre en banlieue au Québec, M. Lessard, J.-M. Lebel et C. Fortin
Syrie, terre de civilisations, Michel Fortin

Tourisme et nature

Circuits pittoresques du Québec, Yves Laframboise
Far North, Patrice Halley
La Gaspésie, Paul Laramée et Marie-José Auclair
Grand Nord, Patrice Halley
I am Montréal, Louise Larivière et Jean-Eudes Schurr
Je suis Montréal, Louise Larivière et Jean-Eudes Schurr
Montréal — les lumières de ma ville, Yves Marcoux et Jacques Pharand
Montreal, the lights of my city, Jacques Pharand et Yves Marcoux
Old Québec city of snow, M. Lessard, G. Pellerin et C. Huot
Le Québec — 40 sites incontournables, H. Dorion, Y. Laframboise et P. Lahoud
Quebec a land of contrasts, C. Éthier, M. Provost et Y. Marcoux
Quebec, city of light, Michel Lessard et Claudel Huot
Québec from the air, Pierre Lahoud et Henri Dorion
Québec terre de contrastes, C. Éthier, M. Provost et Y. Marcoux
Québec, ville de lumière, Michel Lessard et Claudel Huot
Le Québec vu du ciel, Pierre Lahoud et Henri Dorion
Rivières du Québec, Annie Mercier et Jean-François Hamel
Le Saint-Laurent: beautés sauvages du grand fleuve, Jean-François Hamel et Annie Mercier
Les sentinelles du Saint-Laurent, Patrice Halley
Sentinels of the St. Lawrence, Patrice Halley
Le Vieux-Québec sous la neige, M. Lessard, G. Pellerin et C. Huot
Villages pittoresques du Québec, Yves Laframboise

Beaux-arts

L'affiche au Québec — Des origines à nos jours, Marc H. Choko
La collection Lavalin du musée d'art contemporain de Montréal, Collectif dirigé par Josée Bélisle
Le design au Québec, M. H. Choko, P. Bourassa et G. Baril
Les estampes de Betty Godwin, Rosemarie L. Tovell
Flora, Louise Tanguay
Miyuki Tanobe, Robert Bernier
Natura, Louise Tanguay
La palette sauvage d'Audubon — Mosaïque d'oiseaux, David M. Lank
La peinture au Québec depuis les années 1960, Robert Bernier
Riopelle, Robert Bernier
Suzor-Coté – Light and Matter, Laurier Lacroix
Suzor-Coté – Lumière et matière, Laurier Lacroix
Un siècle de peinture au Québec, Robert Bernier

Sports et loisirs

La glorieuse histoire des Canadiens, Pierre Bruneau et Léandre Normand
Guide des voitures anciennes tome 1, J. Gagnon et C. Vincent
Martin Brodeur – Le plaisir de jouer, Denis Brodeur et Daniel Daignault

Tradition

À la rencontre des grands maîtres, Josette Normandeau

GUIDES ANNUELS

L'annuel de l'automobile

L'annuel de l'automobile 2005, M. Crépault, B. Charette et collaborateurs

Le guide du vin

Le guide du vin 2003, Michel Phaneuf
Le guide du vin 2004, Michel Phaneuf
Le guide du vin 2005, Michel Phaneuf

FAITS ET GENS

Documents et essais

À la belle époque des tramways, Jacques Pharand
Enquête sur les services secrets, Normand Lester
L'histoire des Molson, Karen Molson
Les insolences du frère Untel, Jean-Paul Desbiens
Les liens du sang, Antonio Nicaso et Lee Lamothe
Marcel Tessier raconte...tome I, Marcel Tessier
Marcel Tessier raconte...tome 2, Marcel, Tessier
Option Québec, René Lévesque
Le rapport Popcorn, Faith Popcorn
Terreur froide, Stewart Bell

Récits et témoignages

Les affamées – Regards sur l'anorexie, Annie Loiselle
Aller-retour au pays de la folie, S. Cailloux-Cohen et Luc Vigneault
Les diamants de l'enfer, André Couture et Raymond Clément
Gilles Prégent, otage des guérilleros, Benoît Lavoie et Gilles Prégent
Prisonnier à Bangkok, Alain Olivier et Normand Lester
Qui a peur d'Alexander Lowen ?, Édith Fournier
La route des Hells, Julian Sher et William Marsden
Sale job – Un ex-motard parle, Peter Paradis
Le secret de Blanche, Blanche Landry
Se guérir autrement c'est possible, Marie Lise Labonté
La tortue sur le dos, Annick Loupias

Biographies

Chrétien — Un Canadien pure laine, Michel Vastel
Le frère André, Micheline Lachance
Heureux comme un roi, Benoît L'Herbier
Jean-Claude Poitras – Portrait d'un homme de style, Anne Richer
Je suis un bum de bonne famille, Jean-François Bertrand

Landry – Le grand dérangeant, Michel Vastel
Paul-Émile Léger tome 1. Le Prince de l'Église, Micheline Lachance
Paul-Émile Léger tome 2. Le dernier voyage, Micheline Lachance
Pleurires, Jean Lapointe
Sir Wilfrid Laurier, Laurier L. Lapierre
Trudeau le Québécois, Michel Vastel

À LA DÉCOUVERTE DE SOI

Psychologie, psychologie pratique et développement personnel

L'accompagnement au soir de la vie – Le rôle des proches et des bénévoles auprès des malades, Andrée Gauvin et Roger Régnier
À 10 kilos du bonheur — L'obsession de la minceur. Ses causes. Ses effets. Comment s'en sortir, Danielle Bourque
Aimer et se le dire, Jacques Salomé et Sylvie Galland
L'amour, de l'exigence à la préférence, Lucien Auger
L'amour en guerre, Guy Corneau
L'amour entre elles, Claudette Savard
Approcher les autres, est-ce si difficile ?, Isabelle Nazare-Aga
Arrête de bouder !, Marie-France Cyr
Arrosez les fleurs pas les mauvaises herbes, Fletcher Peacock
L'art de discuter sans se disputer, Robert V. Gerard
Au cœur de notre corps — Se libérer de nos cuirasses, Marie Lise Labonté
Le bonheur si je veux, Florence Rollot
Célibataire aujourd'hui — de la solitude à la relation amoureuse, Odile Lamourère
Ces gens qui ont peur d'avoir peur, Elaine N. Aron
Ces gens qui remettent tout à demain, Rita Emmett
Ces gens qui veulent plaire à tout prix, Harriet B. Braiker
Ces gens qui vous empoisonnent l'existence, Lillian Glass
Ces pères qui ne savent pas aimer – et les femmes qui en souffrent, Monique Brillon
Cessez d'être gentil, soyez vrai, Thomas d'Ansembourg
Champion dans la tête, François Ducasse et Makis Chamalidis
Les clés pour lâcher prise, Guy Finley
Les codes inconscients de la séduction, Philippe Turchet
Le cœur apprenti, Guy Finley
Comment contrôler l'inquiétude et l'utiliser efficacement, Dr E. M. Hallowell
Comment s'entourer de gens extraordinaires, Lillian Glass
Communication et épanouissement personnel – La relation d'aide, Lucien Auger
Communiquer avec les autres, c'est facile !, Érica Guilane-Nachez
Comprendre et interpréter vos rêves, Michel Devivier et Corinne Léonard
Le déclic — Transformer la douleur qui détruit en douleur qui guérit, Marie Lise Labonté
Décoder Léonard de Vinci, Michael J. Gelb
Découvrir un sens à sa vie avec la logothérapie, Viktor E. Frankl
Le défi de l'amour, John Bradshaw
Le défi des relations – Le transfert des émotions, Michelle Larivey
De ma tête à mon cœur, Micheline Lacasse
Développez votre charisme, Tony Alessandra
Dites oui au changement, George et Sedena Cappanelli
Dominez votre anxiété avant qu'elle ne vous domine, Albert Ellis
Du nouvel amour à la famille recomposée, Gisèle Larouche
Dynamique des groupes, Jean-Marie Aubry
Et moi et moi et moi — Comment se protéger des narcissiques, Sandy Hotchkiss
Être heureux ce n'est pas nécessairement confortable, Thomas d'Ansembourg
Être jeune et le rester, Dr Alan Bonsteel et Chantal Charbonneau
Être soi-même, Dorothy Corkille Briggs
La force intérieure, J. Ensign Addington
Gardez-vous d'aimer un pervers, Véronique Moraldi
Le grand méchant stress, Florence Rollot
Le grand ménage amoureux, Robert Brisebois
La graphologie, Claude Santoy

La graphologie en 10 leçons, Claude Santoy
La guérison du cœur, Guy Corneau
La haine, Rush W. Dozier
Les hasards nécessaires — La synchronicité dans les rencontres qui nous transforment, Jean-François Vézina
J'ai rendez-vous avec moi, Micheline Lacasse
Jamais seuls ensemble, Jacques Salomé
Je réinvente ma vie, J. E. Young et J. S. Klosko
Je sais ce que tu penses, Lillian Glass
Le jeu excessif, Ladouceur, Sylvain, Boutin et Doucet
Journal intime chaque jour... ma vie, Jacques Salomé
Lâcher prise — La clé de la transformation intérieure, Guy Finley
Le langage du corps, Julius Fast
Les manipulateurs et l'amour, Isabelle Nazare-Aga
Les manipulateurs sont parmi nous, Isabelle Nazare-Aga
Les mères aussi aiment ça, Dr Valerie Davis Ruskin
Mettez de l'action dans votre couple, Albertine et Christophe Maurice
Mon journal de rêves, Nicole Gratton
Les mots qui font du bien — que dire quand on ne sait pas quoi dire, Nance Guilmartin
Nous sommes toutes des déesses, Sophie d'Oriona
Où sont les hommes? – La masculinité en crise, Anthony Clare
Parle-moi... j'ai des choses à te dire, Jacques Salomé
Pensées pour lâcher prise, Guy Finley
Pensez comme Léonard De Vinci, Michael J. Gelb
Père manquant, fils manqué, Guy Corneau
La peur d'aimer, Steven Carter et Julia Sokol
Pourquoi les hommes marchent-ils à la gauche des femmes?, Philippe Turchet
Le pouvoir d'Aladin, Jack Canfield et Mark Victor Hansen
Le pouvoir de la couleur, Faber Birren
Le pouvoir de l'empathie, A.P. Ciaramicoli et C. Ketcham
Prévenir et surmonter la déprime, Lucien Auger
La puissance des émotions, Michelle Larivey
Quand le corps dit non – Le stress qui démolit, Dr Gabor Maté
Qu'attendez-vous pour être heureux, Suzanne Falter-Barns
Réfléchissez et devenez riche, Napoleon Hill
Relations efficaces, Thomas Gordon
Retrouver l'enfant en soi – Partez à la découverte de votre enfant intérieur, John Bradshaw
Les rêves, messagers de la nuit, Nicole Gratton
Les rêves portent conseil, Laurent Lachance
Rêves, signes et coïncidences, Laurent Lachance
Rompre sans tout casser, Linda Bérubé
S'affirmer et communiquer, Jean-Marie Boisvert et Madeleine Beaudry
S'affranchir de la honte, John Bradshaw
S'aider soi-même davantage, Lucien Auger
Savoir relaxer pour combattre le stress, Dr Edmund Jacobson
Se comprendre soi-même par des tests, Collectif
Séduire à coup sûr, Leil Lowndes
Se réaliser dans un monde d'images – À la recherche de son originalité, Jean-François Vézina
Si je m'écoutais je m'entendrais, Jacques Salomé et Sylvie Galland
Le Soi aux mille visages, Pierre Cauvin et Geneviève Cailloux
La synergologie, Philippe Turchet
Le temps d'apprendre à vivre, Lucien Auger
Les tremblements intérieurs, Dr Daniel Dufour
Une vie à se dire, Jacques Salomé
Vaincre l'ennemi en soi, Guy Finley
La vérité sur le mensonge, Marie-France Cyr
Victime des autres, bourreau de soi-même, Guy Corneau
Vivre avec les autres — Chaque jour...la vie, Jacques Salomé
Vivre avec les miens — Chaque jour...la vie, Jacques Salomé
Vivre avec soi — Chaque jour...la vie, Jacques Salomé
Vouloir c'est pouvoir, Raymond Hull

Sexualité

36 jeux drôles pour pimenter votre vie amoureuse, Albertine et Christophe Maurice
1001 stratégies amoureuses, Marie Papillon
L'amour au défi, Natalie Suzanne
Full sexuel – La vie amoureuse des adolescents, Jocelyne Robert
Le langage secret des filles, Josey Vogels
La plénitude sexuelle, Michael Riskin et Anita Banker-Riskin
Rendez-vous au lit, Pamela Lister
La sexualité pour le plaisir et pour l'amour, D. Schmid et M.-J. Mattheeuws

Pédagogie et vie familiale

Attention, parents !, Carol Soret Cope
Bébé joue et apprend, Penny Warner
Comment aider mon enfant à ne pas décrocher, Lucien Auger
Les douze premiers mois de mon enfant, Frank Caplan
L'enfance du bonheur – Aider les enfants à intégrer la joie dans leur vie, Edward M. Hallowell
Fêtes d'enfants de 1 à 12 ans, France Grenier
Le grand livre de notre enfant, Dorothy Einon
L'histoire merveilleuse de la naissance, Jocelyne Robert
Ma sexualité de 0 à 6 ans, Jocelyne Robert
Ma sexualité de 6 à 9 ans, Jocelyne Robert
Ma sexualité de 9 à 11 ans, Jocelyne Robert
Parlez-leur d'amour et de sexualité, Jocelyne Robert
Petits mais futés, Marcèle Lamarche et Jean-François Beauchemin
Préparez votre enfant à l'école dès l'âge de 2 ans, Louise Doyon
Te laisse pas faire ! Jocelyne Robert

Collection «Parents aujourd'hui»

Ces enfants que l'on veut parfaits, Dr Elisabeth Guthrie et Kathy Mattews
Ces enfants qui remettent tout à demain, Rita Emmett
Comment développer l'estime de soi de votre enfant, Carl Pickhardt
Des enfants, en avoir ou pas, Pascale Pontoreau
Éduquer sans punir, Dr Thomas Gordon
L'enfant en colère, Tim Murphy
L'enfant dictateur, Fred G. Gosman
L'enfant souffre-douleur, Maria-G. Rincón-Robichaud
Interprétez les rêves de votre enfant, Laurent Lachance
Mon ado me rend fou !, Michael J. Bradley
Parent responsable, enfant équilibré, François Dumesnil
Questions de parents responsables, François Dumesnil
Voyage dans les centres de la petite enfance, Diane Daniel

Spiritualité

Le feu au cœur, Raphael Cushnir
Prier pour lâcher prise, Guy Finley
Un autre corps pour mon âme, Michael Newton

Astrologie, ésotérisme et arts divinatoires

Astrologie 2004, Andrée D'Amour
Astrologie 2005, Andrée D'Amour
Bien lire dans les lignes de la main, S. Fenton et M. Wright
Comment voir et interpréter l'aura, Ted Andrews
L'Ennéagramme au travail et en amour, Helen Palmer
Horoscope chinois 2004, Neil Somerville

Horoscope chinois 2005, Neil Somerville
Interprétez vos rêves, Louis Stanké
Les lignes de la main, Louis Stanké
Les secrets des 12 signes du zodiaque, Andrée D'Amour
Votre avenir par les cartes, Louis Stanké
Votre destinée dans les lignes de la main, Michel Morin

VIVRE EN BONNE SANTÉ

Soins et médecine

L'arthrite — méthode révolutionnaire pour s'en débarrasser, Dr John B. Irwin
La chirurgie esthétique, Dr André Camirand et Micheline Lortie
Cures miracles — Herbes, vitamines et autres remèdes naturels, Jean Carper
Dites-moi, docteur..., Dr Raymond Thibodeau
L'esprit dispersé, Dr Gabor Maté
Guide critique des médicaments de l'âme, D. Cohen et S. Cailloux-Cohen
Le Guide de la santé — Se soigner à domicile, Clinique Mayo
Maux de tête et migraines, Dr Jacques P. Meloche et J. Dorion
La pharmacie verte, Anny Schneider
Plantes sauvages médicinales — Les reconnaître, les cueillir, les utiliser, Anny Schneider et Ulysse Charette
Tout sur la microtransplantation des cheveux, Dr Pascal Guigui

Alimentation

Les 250 meilleures recettes de Weight Watchers, Weight Watchers
L'alimentation durant la grossesse, Hélène Laurendeau et Brigitte Coutu
Les aliments et leurs vertus, Jean Carper
Les aliments miracles pour votre cerveau, Jean Carper
Les aliments qui guérissent, Jean Carper
Bonne table et bon cœur, Anne Lindsay
Bonne table, bon sens, Anne Lindsay
Comment nourrir son enfant, Louise Lambert-Lagacé
La cuisine italienne de Weight Watchers, Weight Watchers
Les desserts sans sucre, Jennifer Eloff
Devenir végétarien, V. Melina, V. Harrison et B. C. Davis
La grande cuisine de tous les jours, Weight Watchers
Le juste milieu dans votre assiette, Dr B. Sears et B. Lawren
Le lait de chèvre un choix santé, Collectif
Manger, boire et vivre en bonne santé, Walter C. Willett
Mangez mieux selon votre groupe sanguin, Karen Vago et Lucy Degrémont
Ménopause — Nutrition et santé, Louise Lambert-Lagacé
Nourrir son cerveau, Louise Thibault
Les recettes du juste milieu dans votre assiette, Dr Barry Sears
Le régime Oméga, Dr Barry Sears
La sage bouffe de 2 à 6 ans, Louise Lambert-Lagacé
La santé au menu, Karen Graham
Vaincre l'hypoglycémie, O. Bouchard et M. Thériault
Variez les couleurs dans votre assiette, James A. Joseph et Dr Daniel A. Nadeau
Le végétarisme à temps partiel — Le plaisir de manger sans viande, Louise Desaulniers et Louise Lambert-Lagacé

Bien-être

Les allergies, Dr Christina Scott-Moncrieff
Au bout du rouleau ?, Debra Waterhouse
Les bienfaits de l'eau — H_2O, Anna Selby
Bien vivre, mieux vieillir — Guide pratique pour rester jeune, Marie-Paule Dessaint
Le corps heureux — Manuel d'entretien, Thérèse Cadrin Petit et Lucie Dumoulin
Découvrez la méthode Pilates, Anna Selby et Alan Herdman

En 2 temps 3 mouvements — Le corps heureux, Thérèse Cadrin Petit et Lucie Dumoulin
Le massage thaïlandais, Maria Mercati
La méthode Pilates pendant la grossesse, Michael King et Yolande Green
Mettez du feng shui dans votre vie, George Birdsall
Mouvements d'éveil corporel — Naître à son corps, méthode de libération des cuirasses MLC, Marie Lise Labonté
Le plan ayurveda, Anna Selby et Ian Hayward
Le plan détente — Formule antistress, Beth Maceoin
Le plan détox, Dr Christina Scott-Moncrieff
Qi Gong — Méthode traditionnelle chinoise pour rester jeune et en santé, L.V. Carnie
Vaincre les ennemis du sommeil, Charles M. Morin
Le yoga — Maîtriser les postures de base, Sandra Anderson et Rolf Sovik

ART DE VIVRE

Cuisine et gastronomie

Apprêter et cuisiner le gibier, Collectif
Le barbecue – Toutes les techniques pour cuisiner sur le gril, Steven Raichlen
Biscuits et muffins – Une tradition de bon goût, Marg Ruttan
La bonne cuisine des saisons, Frère Victor-Antoine d'Avila-Latourrette
Les bonnes soupes du monastère – Les recettes préférées du frère Victor-Antoine d'Avilla-Latourette, Soupes variées pour les 12 mois de l'année, Frère Victor-Antoine d'Avila-Latourrette
Le boulanger électrique — Du pain frais chaque jour, Marie-Paul Marchand et Maryse Raymond
Cuisine amérindienne — Un nouveau regard, Françoise Kayler et André Michel
La cuisine du monastère, Frère Victor-Antoine d'Avila-Latourrette
Cuisine traditionnelle des régions du Québec, Institut de tourisme et d'hôtellerie du Québec
Des insectes à croquer — Guide de découvertes, Jean-louis Thémis et l'Insectarium de Montréal
Fruits et légumes exotiques — Les connaître, les choisir, les préparer, les déguster, Jean-Louis Thémis et l'I.T.H.Q.
Gibier à poil et à plume, Jean-Paul Grappe
Huiles et vinaigres, Jean-François Plante
Poissons, mollusques et crustacés — Les connaître, les choisir, les apprêter, les déguster, Jean-Paul Grappe et l'I.T.H.Q.
Le porc en toutes saisons, Fédération du porc du Québec
Les recettes de grand-maman Lassonde, Juliette Lassonde
Saveurs de légumineuses, Manon Saint-Amand
Le temps des courges — 100 recettes pour mieux les connaître et les cuisiner, Manon Saint-Amand
Le temps des pommes, Olwen Woodier et Suzanne P. Leclerc
Le temps des sucres, Ken Haedrich et Suzanne P. Leclerc
Le temps du maïs, Olwen Woodier et Suzanne P. Leclerc
Un homme au fourneau, Guy F
Un homme au fourneau — Tome 2, Guy Fournier

Vin, boissons et autres plaisirs

Harmonisez vins et mets – Le nouveau guide des accords parfaits, Jacques Orhon
Mieux connaître les vins du monde, Jacques Orhon
Le nouveau guide des vins de France, Jacques Orhon
Le nouveau guide des vins d'Italie, Jacques Orhon

Achevé d'imprimer
au Canada
sur les presses des Imprimeries Transcontinental Inc.

Table des matières

Date Due

JUL 16 2007			
JUN 07 2008			
JUN 29 2009			
JUL 29 2009			
AUG 27 2009			
DEC 12 2010			
NOV 22 2011			

BRODART Cat. No. 23 233 Printed in U.S.A.